LE SYSTÈME DE COULEURS DEWEY

Dewey Sadka

LE SYSTÈME DE COULEURS DEWEY

Choisissez vos couleurs, changez votre vie

CAR
ACT
ÈRE

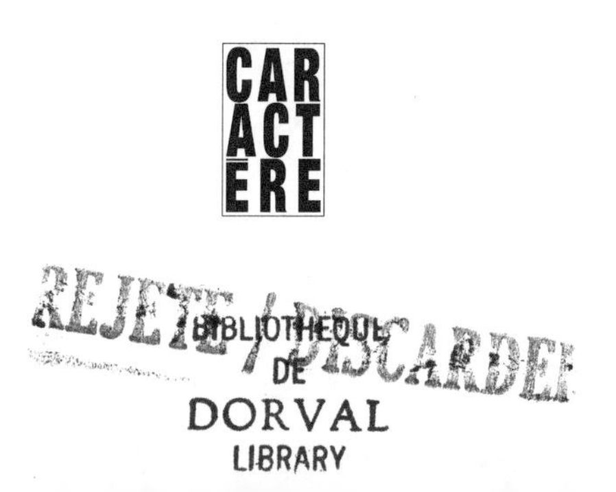

Publié précédemment aux États-Unis sous le titre *The Dewey Color System*™ par Three Rivers Press / Crown Publishing Group, une division de Random House Inc., New York.

Traduction : Mélanie Caillierez
Révision : France de Palma
Conception graphique et mise en pages : Folio infographie
Conception de la couverture : Jennifer O'Connor

Imprimé au Canada

ISBN 2-923351-34-7
Dépôt légal – Bibliothèque et Archives nationales du Québec, 2006

www.editionscaractere.com

NOTE DE L'AUTEUR

LA CRÉATION DU SYSTÈME DE COULEURS DEWEY

J'ai passé ma vie à cultiver le talent des autres. Pendant plus de 18 ans, en qualité de directeur et propriétaire de l'une des plus grosses agences de placement de la nation, j'ai trouvé qu'il était particulièrement gratifiant d'aller au-delà des apparences, d'essayer de comprendre le fonctionnement interne de chaque personne.

En encourageant constamment mes employés et mes clients à exprimer leurs pensées les plus intimes, j'ai pu mettre le doigt sur leurs sentiments et leurs besoins. Cela m'a permis d'identifier ce qui les motivait. Les efforts que j'ai déployés pour en faire des gagnants ont fait de moi un gagnant. En moins de 18 ans, les 30 000 $ que j'ai investis au départ ont généré une entreprise de 38 millions de dollars.

En partant du principe selon lequel les gens réussissent quand ils font ce qu'ils aiment, j'ai entrepris de rechercher une solution simple qui permettrait de mieux comprendre les désirs, les inquiétudes, les différentes perspectives et les passions des individus qui allaient déterminer mon avenir.

Mon expérience des évaluations de personnalité traditionnelles, comme l'indicateur Myers-Briggs, qui est largement répandu, m'a amené à conclure qu'elles ne permettaient qu'une compréhension superficielle de l'individu. Je savais que si je parvenais à inventer une évaluation qui révélerait les facteurs de motivation de chaque individu, la productivité, les ventes et le moral des employés monteraient en flèche.

Œuvrant depuis plus 24 ans dans le domaine de la dotation en personnel, j'ai appris comment réagissaient des milliers de personnes en période de crise. Après de nombreuses années passées à observer les autres, j'ai constaté que je pouvais souvent prédire les actions des gens et le dénouement de situations particulières. Cela m'a donné l'idée de chercher des structures de comportement humain qui auraient tendance à se répéter. Mon but était d'acquérir une vision plus objective des besoins des autres et de mes propres besoins.

LE CONCEPT

La chimie et la biologie ont des structures physiques qui leur confèrent une certaine prévisibilité. Les biologistes, par exemple, peuvent analyser une cellule sanguine et détecter des structures qui auront tendance à se répéter dans certaines conditions. Alors pourquoi ne pas chercher à identifier de telles structures dans le comportement humain également ?

Le Système de couleurs Dewey* est basé sur le concept selon lequel la couleur peut être utilisée pour révéler l'essence de la personnalité d'un individu. Les théories basées sur des concepts ont apporté au monde ses inventions les plus importantes. En voici quelques-unes :

- « La terre n'est pas le centre de l'univers » — Copernic
- « Le temps s'immobilise à la vitesse de la lumière » — Albert Einstein
- « Une machine peut penser » — Alan Turing

Le Système de couleurs Dewey permet d'apprendre sur soi-même sans ressentir de malaise face aux questions invasives sur le plan personnel et sans avoir à hésiter en essayant de trouver les mots appropriés pour y répondre. Le fait qu'il soit simple n'enlève rien à l'exactitude de ce nouveau système.

J'ai divisé *Le Système de couleurs Dewey* en quatre parties. Dans la première partie, vous apprendrez à utiliser ce système, qui *vous* explique dans les moindres détails, et ce, avec une justesse stupéfiante. Dans la deuxième partie, vous découvrirez ce qui vous passionne, comment vous réagissez aux situations, ce qui vous excite dans l'amour et ce qui vous permet de réussir dans votre carrière. Dans la troisième partie, vous apprendrez à simplifier votre vie en comprenant ce qui vous fait avancer ou freiner en tant qu'être humain. Enfin, dans la quatrième partie, vous apprendrez à faire fonctionner votre univers à votre avantage en participant à des exercices révélateurs, en évaluant les résultats de votre test et en apprenant des trucs inestimables pour maintenir vos priorités.

MA MISSION

J'ai passé 28 ans à élaborer et à peaufiner ce système, et mon plus grand souhait est que cette méthode, éprouvée et fiable, d'utilisation de la couleur pour dresser la carte de votre moi intérieur vous apporte la connaissance nécessaire pour effectuer des changements positifs dans votre vie sans compromettre la force passionnée qui vous anime.

PREMIÈRE PARTIE

Découvrir le Système de couleurs Dewey

CHAPITRE UN

Découvrir vos véritables couleurs

Avant tout, sois loyal envers toi-même.

WILLIAM SHAKESPEARE

L'amour véritable, le bonheur personnel et la réussite professionnelle naissent et prospèrent quand on sait ce que l'on veut dans la vie. Il n'est toutefois pas suffisant de dire : « Je veux ça. » Il faut comprendre *pourquoi* on le veut.

Aussi faut-il avant tout être soi-même. Une fois qu'on sait qui l'on est, il est facile de déterminer ce que l'on veut. Pourtant, on passe son temps à se faire des illusions pour trouver sa place ou faire en sorte que les choses fonctionnent.

Le Système de couleurs Dewey vous ramène à *vous-même*. Les tests basés sur la langue définissent le comportement ; la préférence de couleurs, quant à elle, évoque votre personnalité, cette partie de vous qui est immuable. Vous apprendrez ce qui est le plus amusant pour vous et pourquoi vous aimez le faire. Ce qui est fascinant, c'est que vous réussirez davantage en comprenant que ce que vous faites le mieux est justement ce que vous aimez le plus.

La vérité personnelle est toujours le chemin le plus simple et le meilleur. En lisant la signification de vos choix de couleurs, vous retrouverez l'enfant que vous étiez, l'enfant enjoué qui n'avait ni peurs ni inhibitions. En vous concentrant sur votre moi véritable, vous cesserez progressivement d'éviter les aspects de votre personnalité que vous essayez souvent d'occulter pour une raison ou pour une autre, que ce soit par convention sociale ou simplement à cause des pressions de la vie moderne. Votre moi véritable – votre grandeur personnelle qui est le *vrai* vous – sera enfin révélé !

LA FAÇON DONT LE SYSTÈME CONFIRME LES PRIORITÉS DE VOTRE VIE

À partir de vos préférences pour des tons précis de couleurs, le Système de couleurs Dewey indique qui vous êtes, les rapports que vous entretenez avec les autres, la façon dont vous prenez des décisions et résolvez les problèmes ainsi que votre manière d'aborder le monde. Dans la mesure où cette analyse vous permet de mieux vous connaître, elle vous donnera la confiance nécessaire pour déterminer ce que vous voulez et la concentration pour vous aider à l'obtenir.

Ce système utilise le pouvoir subliminal de la couleur pour révéler votre moi fondamental – ce qui explique pourquoi vous faites ce que vous faites. En favorisant la préférence de couleurs, ce système évite le langage pour révéler ce qui est le plus important dans votre vie. Le Système de couleurs Dewey établit la façon dont nous donnons la priorité à nos besoins et à nos objectifs de base. La préférence de couleurs est innée. Une couleur préférée, par exemple, inspire visuellement les gens à ressentir leurs espoirs et leurs aspirations. Une couleur qu'ils n'aiment pas leur rappelle de façon déplaisante ce qui fait défaut dans leur vie.

CHANGEZ VOTRE VIE, PAS CE QUE VOUS ÊTES

Dans notre monde au rythme effréné, nous sommes bombardés de situations qui exigent que nous prenions des décisions déterminantes pour notre avenir. Le fait de savoir précisément ce que vous appréciez le plus vous gardera sur la bonne voie et vous donnera l'assurance nécessaire pour rendre chaque journée amusante. La vie, ce n'est pas d'être quelqu'un ; c'est d'être soi-même.

L'énergie passionnée, concentrée est très contagieuse. Vous vous surprendrez à parler du fond du cœur, entouré de soutien positif et fier de vos contributions. En lisant *Le Système de couleurs Dewey*, vous serez davantage en mesure de comprendre ce à quoi vous pouvez vous attendre des situations et des autres, mais aussi de vous-même.

QUI SONT VOS AMIS ET LES ÊTRES QUI VOUS SONT CHERS ?

En découvrant les talents de vos amis et des êtres qui vous sont chers, vous comprendrez pourquoi ces personnes sont si importantes dans votre vie. Quand vous aurez saisi leurs passions et leurs peurs, vous aurez la patience et la compréhension nécessaires pour leur apporter un soutien enthousiaste. Lisez *Le Système de couleurs Dewey* avec vos proches. Vous aurez des conversations profondes qui renforceront vos liens avec eux.

Les enfants ont une approche formidable des couleurs. Les choix ne les laissant pas aussi perplexes que les adultes, ils sélectionnent leurs couleurs rapidement avec une assurance remarquable. Si vous avez de jeunes enfants qui ont plus de trois ans, traduisez-leur la signification de leurs choix de couleurs. Les formidables perspectives personnelles qu'ils obtiendront les aideront à développer une bonne estime d'eux-mêmes. Et en comprenant leurs passions, vous serez en mesure de leur apporter un meilleur soutien sans détruire leur essence.

CINQ ÉTAPES SIMPLES VERS LA VÉRITÉ PERSONNELLE : COMMENT UTILISER SYSTÈME DE COULEURS DEWEY

Étape 1 : Choisissez vos couleurs

Tout d'abord, consultez les blocs de couleurs au verso de la couverture de ce livre et choisissez votre couleur préférée et celle que vous aimez le moins dans les catégories primaire, secondaire, achromatique et intermédiaire. Notez-les sur « Ma page de catégories de couleurs » (*cf.* p. 17).

Étape 2 : Déterminez votre type d'énergie

Combinez vos couleurs primaire et secondaire pour obtenir la perception de vous-même ; ajoutez votre choix de couleur achromatique pour révéler comment les autres vous perçoivent.

Combinez vos choix de couleurs primaire et secondaire préférées et lisez dans votre chapitre de couleur personnalisé ce qui se rapporte à la façon dont vous vous percevez vous-même. (Par exemple, si vos choix de couleurs primaire et secondaire sont le rouge et le violet, allez au chapitre 11 pour consulter votre profil général.) Voici une liste de toutes les combinaisons de couleurs primaires et secondaires et des chapitres de couleur personnalisés :

Chapitre 4 « Jaune et vert : Les protecteurs »
Chapitre 5 « Jaune et violet : Les catalyseurs »
Chapitre 6 « Jaune et orange : Les penseurs techniques »
Chapitre 7 « Bleu et vert : Les ancres »
Chapitre 8 « Bleu et violet : Les penseurs »
Chapitre 9 « Bleu et orange : Les bâtisseurs »
Chapitre 10 « Rouge et vert : Les gestionnaires de ressources »
Chapitre 11 « Rouge et violet : Les synthétiseurs »
Chapitre 12 « Rouge et orange : Les humanitaires »

Ensuite, ajoutez votre choix de couleur achromatique (noir, blanc ou marron) pour comprendre comment les autres vous perçoivent.

(Par exemple, si vous êtes rouge-violet et que vous ajoutez le blanc comme choix de couleur achromatique, après avoir lu ce qui se rapporte à votre perception de vous-même, référez-vous au profil rouge-violet-blanc qui se trouve plus loin dans votre chapitre de couleur personnalisé.)

N.B. : Vous pouvez consulter les blocs de couleurs au verso de la couverture et choisir vos couleurs maintenant ou lire le reste de la partie 1 si vous voulez mieux comprendre le Système de couleurs Dewey avant de commencer votre parcours.

Étape 3 : Creusez en profondeur pour évoquer vos désirs

Dans les chapitres 13 à 15, votre choix de couleur préférée et de celle que vous aimez le moins dans les trois catégories révèlent les avantages et les inconvénients de vos passions et de vos peurs. Lisez attentivement ce qui s'y rapporte.

Étape 4 : Regardez vos couleurs intermédiaires

Maintenant, explorez la quatrième catégorie de couleurs et lisez ce qui se rapporte à vos choix de couleurs intermédiaires pour voir comment vous faites fonctionner votre univers à votre avantage (*cf.* Chapitre 16 : « Affronter le monde »).

Étape 5 : Célébrez-vous

Lisez le chapitre 17 : « Changez de vie, pas ce que vous êtes ». Utilisez les résumés, les histoires de couleurs et les exercices approfondis pour expérimenter les façons de rediriger vos pensées et vos comportements sans compromettre le pouvoir passionné qui est en vous.

CHOISISSEZ VOS COULEURS

Vous êtes sur le point d'entreprendre une quête qui va approfondir votre compréhension de vous-même et intensifier votre passion de la vie. Tenez-vous prêt à découvrir une perspective nouvelle, quoique familière, de qui vous êtes, de ce que vous faites et des raisons pour lesquelles vous le faites.

PRÉPAREZ-VOUS !

- Il n'y a pas de bons ou de mauvais choix – il n'y a que vos choix.
- Vos choix ne dépendent pas de ce qui « va bien », sur vous ou sur votre canapé. Ils dépendent de ce qui vous attire naturellement, de ce qui vous donne un sentiment de bien-être.
- Prenez votre temps. Imprégnez-vous des couleurs. Laissez-les vous choisir !

Consultez les blocs de couleurs au verso de la couverture de ce livre pour faire vos choix de couleurs.

MA PAGE DE CATÉGORIES DE COULEURS

Vos choix dans les catégories de couleurs :

CATÉGORIE	COULEUR PRÉFÉRÉE	COULEUR QUE J'AIME LE MOINS
Primaire		
Secondaire		
Achromatique		
Intermédiaire		

CHAPITRE DEUX

Le Système de couleurs Dewey

Imaginez un système qui soit si simple et si amusant que même un enfant pourrait l'utiliser, un système carrément révolutionnaire. Eh bien, le voici.

Quelle est donc la science qui se cache derrière la couleur, et pourquoi sommes-nous attirés ou rebutés par certaines couleurs ? La couleur est une réflexion de la lumière, et c'est cette réflexion que l'on voit. Elle est captée par la pupille de l'œil sous la forme de différentes longueurs d'ondes. Cette énergie a une qualité physique à laquelle chaque personne réagit différemment.

Bien qu'aucune chose n'ait de couleur en soi, la réflexion des couleurs est interprétée par notre cerveau comme une qualité distinctive. Sa vibration crée une énergie tacite. Le jaune, par exemple, est considéré irritant d'une manière générale, mais si vous êtes une personne qui aimez le jaune, vous le trouverez inspirant.

Le Système de couleurs Dewey est le premier système d'évaluation qui favorise la préférence de couleurs plutôt que le langage. Au lieu de se baser sur des questionnaires longs et imprécis, ce système fait appel à une méthodologie simple et précise basée sur les préférences de couleurs pour révéler qui vous êtes – et non la personne que vous croyez être.

Le Système de couleurs Dewey a été breveté car il permet d'identifier le rapport entre la personnalité et les quatre catégories distinctes de couleurs : les couleurs primaires, les couleurs secondaires, les couleurs achromatiques et les couleurs intermédiaires. Ce système intègre les méthodes d'évaluation professionnelle qui n'étaient jusqu'ici accessibles qu'à la communauté professionnelle pour en faire un nouveau test accessible au grand public. La lecture du *Système de couleurs Dewey* vous permettra de trouver une multitude d'usages à ce système dans votre vie quotidienne.

UN SYSTÈME FIABLE

Il y a deux façons d'accéder à la connaissance : par les concepts et par l'expérimentation. Avec l'aide de spécialistes renommés, j'ai soumis mon concept à un test rigoureux avec plus de 5 000 profils de couleurs qui ont été développés pendant huit ans.

En comparaison clinique avec les principaux systèmes d'évaluation de la personnalité aux États-Unis – le Myers-Briggs, le 16PF [16 facteurs de personnalité] et le Test d'inventaire des intérêts particuliers –, mon système a donné les résultats suivants :

- Deux participants sur 3 estimaient que le Système de couleurs Dewey leur procurait une meilleure perception d'eux-mêmes.
- Trois participants sur 4 estimaient que le Système de couleurs Dewey décrivait mieux leur façon de vivre leur vie.

UN BREF APERÇU HISTORIQUE

Depuis l'aube de la civilisation, nous, les êtres humains, essayons de découvrir ce qui motive nos actions. Ces efforts se sont traduits par une abondance de systèmes ayant un point commun : ils essaient tous de catégoriser et de mettre au jour notre véritable moi.

Les premières tentatives de création d'un système de découverte de soi ont amené les curieux à se concentrer sur des influences extérieures comme les étoiles, le destin ou les éléments. Cela a engendré de nombreux systèmes qui sont toujours populaires aujourd'hui.

À une époque plus moderne, en revanche, les investigateurs se sont penchés sur l'individu et la libre pensée. Peu à peu, l'observation empirique a remplacé même les systèmes les plus détaillés de folklore et de sorcellerie et a jeté les bases de la psychologie et de l'analyse du comportement humain.

Toutefois, un élément fait obstacle à tous ces systèmes et à ceux qui les gèrent : l'imprécision de la langue. Pourquoi ? La réponse est très simple. Que se passe-t-il, par exemple, si on ne pose pas les questions correctement ? Si les personnes interrogées les interprètent différemment ? Dans quelle mesure le stress, la fatigue, l'environnement, les préjugés, les partis pris et l'éducation faussent-ils les résultats des tests ? Il arrive fréquemment que les gens se fassent des illusions et ne répondent donc pas aux questions en toute honnêteté.

C'est pour toutes ces raisons que des experts ont eu envie de créer un système sans langage pour nous parler de l'identité individuelle.

LA COULEUR EST MAINTENANT UN LANGAGE

La solution aux problèmes concernant les tests basés sur la langue était aussi simple qu'élégante. La couleur ! N'était-ce pas évident ? Pourquoi ne pas utiliser la couleur comme indicateur de la personnalité ? Plus besoin de s'encombrer de mots. La couleur permettait de poser des questions sans utiliser de mots. La confusion des sens et de l'interprétation s'en trouvait éliminée.

La nature est bien faite

Le Système de couleurs Dewey est issu de l'observation de la nature. Au départ, j'ai étudié les fonctions apparentes de chaque couleur dans la nature afin de la décrire dans le langage afin de donner à chaque teinte une signification verbale. Par exemple, il n'y a du vert qu'en terrain fertile. N'est-ce donc pas l'essence nourricière ?

Consultez le site deweycolorsystem.com pour en savoir davantage sur l'élaboration du système. Vous pouvez aussi vous renseigner sur l'évolution du langage de chaque couleur à la fin des chapitres 13, 14, 15 et 16 pour mieux comprendre votre essence.

Votre personnalité est une combinaison de couleurs

En lisant cet ouvrage, gardez à l'esprit que chaque catégorie de couleur est une couche qui agit de façon autonome, comme si les autres n'existaient pas. Les couleurs primaires sont vos motivateurs de base, ce qui alimente votre moteur. Les couleurs secondaires démontrent les rapports que vous entretenez avec les autres et la façon dont vous traitez vos pensées à leur égard. Les couleurs achromatiques expliquent votre moi fondamental, vos espoirs et vos peurs. Les couleurs intermédiaires exposent la façon dont vous affontez le monde extérieur.

Tout en explorant vos préférences de couleur, gardez à l'esprit que votre personnalité reflète une combinaison de couleurs, et non pas une seule couleur.

La couleur libère vos pensées, même les plus intimes

Chaque couleur représente une valeur personnelle que vous devez honorer. Vos choix de couleurs révèlent les récompenses et les conséquences de la façon dont vous établissez vos priorités dans votre vie.

Utilisez les interprétations de couleurs dans le système pour accueillir les passions qui sont en vous, respecter les motivations de ceux que vous aimez et pour électriser votre vie. Cela vous donnera le courage et la confiance nécessaires pour faire ce que vous faites le mieux.

Célébrez-vous

Voici votre chance d'affirmer votre grandeur. Le stress, la nécessité de gagner votre vie ou l'angoisse de ce qui doit être fait peuvent vous faire oublier de vous célébrer. La croissance personnelle commence par l'acceptation de qui vous êtes à l'heure actuelle. En lisant cet ouvrage, célébrez vos talents uniques et la force qui vous anime en vous remémorant ce que vous avez apporté aux autres.

En sachant qui vous êtes réellement et ce que vous voulez, vous serez mieux préparé pour affronter et résoudre les problèmes de la vie. Vous saurez comment mettre davantage de passion dans votre vie, dans vos relations et dans votre carrière.

FOIRE AUX QUESTIONS

Puis-je me tromper ?

Il est peu probable que vous choisissiez une couleur qui ne vous convienne pas. Comment ne pas choisir ce que l'on sait instinctivement ? Cela dit, si les descriptions de personnalité basées sur les couleurs que vous aviez choisies au départ ne semblent pas correspondre à la vérité, consultez les chapitres sur les autres couleurs et voyez ce qui vous correspond le mieux. Faites alors un nouveau choix de couleurs. Serait-il possible que vous occultiez votre moi véritable ?

Si vous avez une réaction vive, qu'elle soit bonne ou mauvaise, en lisant la description d'une personnalité associée à une couleur, vous avez probablement choisi la bonne. Vous aurez tendance à ressentir de l'indifférence en lisant les descriptions des couleurs incorrectes. Si vous êtes une personne qui travaille beaucoup avec les couleurs, comme un peintre ou un designer graphique, le choix peut s'avérer particulièrement difficile.

Si vous sentez que vos couleurs ne reflètent pas qui vous êtes en ce moment, c'est peut-être parce qu'elles montrent les réactions de votre personnalité fondamentale, et non pas vos actions. La formation et l'expérience vous ont enseigné des leçons qui vous permettent de modifier votre façon d'agir. Si vous êtes vexé, toutefois, il vous faudra lutter pour empêcher votre moi fondamental de prendre le dessus.

Et si je suis daltonien ?

Ce système est toujours fonctionnel. Vous mettrez simplement plus de temps à faire vos choix. Alors, prenez votre temps. Généralement, vous n'aimerez pas les couleurs que vous ne pouvez pas distinguer. Vous éprouverez un besoin émotionnel d'apprendre et d'exprimer ce que ces zones de couleurs représentent.

Mes couleurs vont-elles changer ?

Évidemment ! Quand votre vie change, vos couleurs peuvent également changer. Partir de chez ses parents, se marier, avoir des enfants, perdre un proche, tous ces événements peuvent modifier vos préférences de couleur. Pour la plupart, toutefois, vos couleurs changent à divers degrés, et pas de façon aussi spectaculaire que vous ne l'imaginez.

Si vos choix de couleurs changent, consultez les paragraphes concernant les changements de couleurs à la fin des chapitres 13, 14, 15 et 16. Cela vous permettra de mieux comprendre vos besoins actuels.

Dans le Système de couleurs Dewey, afin d'assurer une certaine exactitude, nous avons utilisé les couleurs les plus éclatantes du spectre. Les études ont prouvé que plus la couleur est éclatante, plus la réponse est nette.

Et si j'aime toutes les couleurs ?

Si vous êtes une personne qui aimez les couleurs, il peut être difficile d'en préférer une. Les artistes, les designers et ceux qui travaillent quotidiennement avec la couleur peuvent même avoir du mal à choisir les couleurs qu'ils aiment le moins. Si vous êtes une personne qui demeurez en contact quotidien avec la couleur, il vous faudra peut-être choisir à nouveau. La seconde fois, ne pensez pas à la façon dont vous utilisez la couleur – ne pensez qu'à vous.

Et si j'hésite entre deux couleurs ?

Creusez en profondeur et choisissez-en une. Plus tard, lisez la signification des deux couleurs. Il y aura probablement une couleur qui représente qui vous êtes et une couleur qui représente qui vous croyez que vous devez être. Êtes-vous dans une période de transition ?

COMBIEN Y A-T-IL DE MOI ?

La liste ci-dessous représente un classement des choix de couleurs établi à partir d'un échantillon de population d'environ 4 000 personnes. Une fois que vous avez choisi vos couleurs primaire, secondaire et achromatique, regardez où vous vous situez dans ces 27 types d'énergie. Plus votre classement est haut, plus vous êtes compris.

1. Bleu-Vert-Blanc	10. Bleu-Violet-Marron	19. Rouge-Violet-Marron
2. Bleu-Violet-Noir	11. Jaune-Vert-Blanc	20. Jaune-Violet-Marron
3. Bleu-Vert-Noir	12. Jaune-Violet-Noir	21. Bleu-Orange-Blanc
4. Bleu-Vert-Marron	13. Rouge-Vert-Marron	22. Jaune-Vert-Marron
5. Rouge-Violet-Noir	14. Rouge-Violet-Blanc	23. Jaune-Orange-Noir
6. Bleu-Violet-Blanc	15. Jaune-Vert-Noir	24. Bleu-Orange-Marron
7. Rouge-Vert-Noir	16. Jaune-Orange-Blanc	25. Jaune-Orange-Marron
8. Rouge-Vert-Blanc	17. Rouge-Orange-Noir	26. Rouge-Orange-Marron
9. Jaune-Violet-Blanc	18. Bleu-Orange-Noir	27. Rouge-Orange-Blanc

CHAPITRE TROIS

Choisissez vos couleurs, changez votre vie

Chaque catégorie de couleurs représente différents aspects de votre personnalité : la motivation, les intentions cachées, les peurs, le tempérament, la perception, les mécanismes d'adaptation, l'entregent, les forces, les faiblesses, les espoirs et les ambitions.

Vos couleurs préférées représentent vos espoirs et vos aspirations, les idéaux que vous poursuivez avec passion. Plus vous accepterez cette partie passionnée de vous, plus vous aurez du succès. Ces couleurs révèlent également les difficultés que vous éprouvez quand vous faites de vos passions votre seule priorité.

Les couleurs que vous aimez le moins sont tout aussi significatives que celles que vous préférez, dans la mesure où elles soulignent les problèmes et les expériences que vous ne voulez pas affronter. Le fait de confronter ce que vous éviteriez normalement est essentiel pour votre croissance personnelle. Cela vous permettra de mieux gérer votre vie.

Vos choix de couleurs préférées et de couleurs que vous aimez le moins révèleront les forces jumelles dans votre vie. En prenant davantage conscience de votre personnalité, de vos passions et de votre pouvoir, vous acquerrez la connaissance nécessaire pour faire des changements positifs sans détruire votre essence.

FONCTION NUMÉRO 1 : APPRENDRE À VOUS CONNAÎTRE

Plusieurs d'entre nous passent leur vie à errer dans l'incertitude et le manque de clarté. L'inconnu et l'incompréhensible conduisent à la peur, au ressentiment, à la solitude, à l'échec, voire à la pauvreté. Une fois que vous vous comprenez, tout devient fluide : l'amour, la sagesse, la force, le bonheur et la sérénité.

Aujourd'hui, votre vie est plus riche grâce à la couleur utilisée pour indiquer les réactions chimiques dans la science et dans la médecine. Le Système de couleurs Dewey vous emmène au-delà des utilisations établies de la couleur pour vous renseigner sur la façon dont vous abordez presque chaque aspect de votre vie.

FONCTION NUMÉRO 2 : APPRENDRE À CONNAÎTRE VOS AMIS ET LES ÊTRES QUI VOUS SONT CHERS

Le fait de lire *Le Système de couleurs Dewey* avec vos proches vous permettra de découvrir les particularités de vos relations. Quand vous aurez saisi les peurs des êtres qui vous sont chers, vous saurez vous montrer plus patient pour les aider en période de crise. Nous avons prévu un espace à la fin du livre pour que vous puissiez inscrire les couleurs des êtres qui vous sont chers. (*Cf.* « Pages de couleurs additionnelles », p. 271-275.)

FONCTION NUMÉRO 3 : REVITALISEZ VOTRE INTÉRIEUR

Utilisez les teintes de vos couleurs préférées ou de celles que vous aimez le moins pour décorer une pièce afin de vous sentir bien. La couleur peut donner un élan de spiritualité, d'aventure, voire de sensualité. Pensez à des couleurs qui insuffleront de la vie à vos pièces – et à vous. La couleur a le pouvoir de transformer votre espace en lieu sacré.

FONCTION NUMÉRO 4 : REHAUSSEZ VOTRE GARDE-ROBE

Avant d'entreprendre votre shopping, envisagez vos couleurs préférées comme étant votre palette principale. Soyez aventureux et accessoirisez avec des nuances de la couleur que vous aimez le moins ; vous évoquerez ainsi des intentions assumées. Révélez au monde qui vous êtes.

MAINTENANT, QUE DOIS-JE FAIRE ?

Tout d'abord, votre couleur primaire préférée ainsi que votre couleur secondaire préférée révèlent votre perception de vous-même. La connaissance de soi permet de s'assumer. Et de là vient la confiance pour faire ce que vous faites le mieux. *Portez attention à vos pensées.* Quelle partie passionnée de vous êtes-vous capable d'exprimer ? Incapable d'exprimer ?

Rappelez-vous : surtout, ne vous pressez pas ! Si vous lisez ce livre trop rapidement, vous ne pourrez pas absorber tout ce qu'il a à offrir. Alors détendez-vous et préparez-vous à faire un voyage passionné à l'intérieur de vous-même. Tournez la page et découvrez qui vous êtes.

VOTRE MOI « PROFESSIONNEL » DIFFÈRE-T-IL DE VOTRE MOI « ROMANTIQUE » ?

Certaines combinaisons de couleurs indiquent une personnalité au travail et une autre personnalité dans les relations personnelles. Si appartenez à ce type de combinaison, vous comprendrez enfin la dualité de votre personnalité dynamique.

Si vous choisissez ces combinaisons de couleurs primaire et secondaire préférées – jaune et violet, bleu et orange ou rouge et vert –, on vous demandera de choisir une autre couleur pour comprendre votre moi romantique. Par exemple, si vous choisissez rouge et vert, on vous demandera de choisir à nouveau parmi les couleurs suivantes : jaune, bleu, violet et orange. Si vous choisissez violet, vous entretenez des rapports avec les autres en tant que rouge-violet. Essentiellement, vous devenez un violet plutôt qu'un vert dans les relations.

Votre première combinaison de couleurs primaire et secondaire ne représente que votre réaction et votre motivation initiales. Votre nouvelle combinaison reflète les rapports que vous entretenez avec les autres – votre côté romantique.

Si vous choisissez marron comme couleur achromatique préférée, on vous demandera aussi de choisir à nouveau pour comprendre votre type de relation. Si vous choisissez rouge, violet et marron, on vous demandera : « Vous préférez le blanc ou le noir ? » Si vous choisissez le noir, vous êtes un rouge-violet-noir. Si vous préférez le blanc, vous êtes un rouge-violet-blanc.

Lisez alors les conseils relationnels, dans le chapitre « Rouge et violet », pour le rouge-violet-noir ou le rouge-violet-blanc.

Le marron représente cet espace neutre en vous où vous rassemblez les faits. Votre préférence pour le noir ou pour le blanc indique votre style d'engagement dans les relations personnelles.

DEUXIÈME PARTIE

Utiliser le système pour révéler qui vous êtes réellement

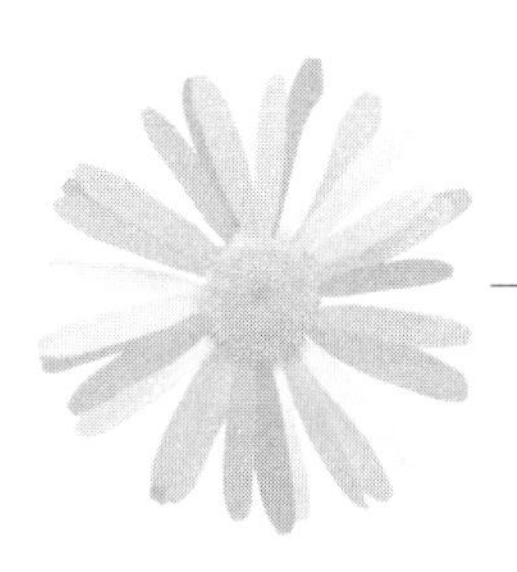

CHAPITRE QUATRE

Jaune et vert

Les protecteurs

VOTRE PERCEPTION DE VOUS-MÊME

Votre perspective réaliste crée un environnement confortable et sécurisant pour vous et pour ceux qui vous entourent. Vous êtes à l'écoute des autres et vous comprenez leurs points de vue. En questionnant les besoins véritables des gens plutôt que d'accepter ce dont ils disent avoir besoin, vous les aidez à apprendre.

Prendre soin des autres est à la fois votre but et votre talent naturel. Cependant, en étant trop protecteur, vous ne rendez service à personne. Ne vous mêlez pas des aptitudes des autres à découvrir leurs propres besoins. En secourant constamment les gens, vous les privez de la possibilité de faire face à leurs responsabilités. Aussi, prenez du recul et laissez-les exister par eux-mêmes sans votre soutien. S'ils échouent, soit. C'est seulement à ce moment qu'ils seront en mesure de déterminer ce qu'ils devraient faire.

Comme vous comprenez la perspective des gens qui vous entourent, vous pouvez avoir du mal à être objectif envers vous-même. Essayez d'oublier votre entourage et concentrez-vous sur vos propres besoins. Cela permettra aux autres de vous apporter un meilleur soutien, et cela vous empêchera de négliger votre propre bonheur.

Si vous préférez le jaune au vert, vous êtes plus réaliste en ce qui concerne votre croissance personnelle et votre cheminement de carrière que vous ne l'êtes dans vos relations.

Si vous préférez le vert au jaune, vous avez tendance à être plus réaliste en ce qui concerne vos relations et moins porté sur la réalisation de vos objectifs.

VOTRE TYPE D'ÉNERGIE : COMMENT LES AUTRES VOUS PERÇOIVENT

Maintenant que vous avez lu la section « Votre perception de vous-même », ajoutez votre choix achromatique (noir, blanc ou marron) à vos choix de couleurs primaire et secondaire afin de déterminer votre type d'énergie et de comprendre comment les autres vous perçoivent.

> Lisez votre profil de type d'énergie avec un ami. Ses commentaires vous donneront sans doute une perception plus claire de vous-même. Gardez à l'esprit que nous ne sommes pas forcément la personne que nous croyons être.

Jaune, vert et noir : les chercheurs de vérité

DÉCOUVREZ-VOUS

Vous vous remettez constamment en question afin d'identifier ce qui vous est important. Votre but dans la vie, c'est de dire la vérité ; vous avez besoin de d'authenticité pour avoir conscience de vous-même. Vous direz la vérité même si les autres ne veulent pas l'entendre. Lorsque vous rencontrez des gens, ils ignorent que vous êtes comme ça. Or, après les avoir écoutés, vous ne pouvez pas vous empêcher d'être ouvert et honnête, et vous les stupéfiez avec vos vérités évidentes.

FONCEZ

Lorsque vous avez décidé de quelque chose, rien ne peut vous empêcher d'atteindre votre objectif. Vous êtes capable de rester à la fois concentré et plein de ressources. Grâce à votre sensibilité aiguisée, vous savez ce qui fonctionne: c'est votre plus grand talent. Travaillez à développer avec les autres des relations basées sur la confiance plutôt que de ressasser vos différences. Ainsi, les autres se sentiront rassurés par les conseils que vous leur prodiguez, et vous serez capable de reconnaître vos propres structures émotionnelles à l'avenir.

MAIS PRENEZ GARDE

Si les gens n'ont pas envie de vous écouter, ils risquent de rejeter vos idées ou de vous éviter. Ne vous sentez pas incompris ou rejeté; les autres essaient seulement de se protéger. Acceptez que vous êtes une personne qui doit dire la vérité à tout prix et que souvent, les autres n'ont pas la force d'affronter les réalités que vous leur révélez.

CONSEILS RELATIONNELS

Votre personnalité intense, très énergique, se fond en quelque sorte dans la foule. Les étrangers vous percevront comme une personne honnête et ouverte. Vous avez besoin d'une cause et vous la trouvez généralement en vous occupant de quelqu'un.

Si le bleu est la couleur primaire que vous aimez le moins, vous faites tout votre possible pour soutenir les personnes qui ont réellement besoin de vous. Vous êtes un ami formidable. Vos opinions objectives sont d'une justesse remarquable ; elles peuvent d'ailleurs être si choquantes pour ceux qui vous entourent qu'ils ne voient pas à quel point ils comptent à vos yeux. Avant de vous exprimer, dites aux autres : « J'ai une pensée qui pourrait t'aider. » La personne en question sera davantage en mesure de comprendre votre façon de démontrer votre amour.

Si le rouge est la couleur primaire que vous aimez le moins, vous cherchez à être respecté. Au début, vous cachez qui vous êtes, puis vous révélez soudainement aux autres une personnalité forte aux opinions bien arrêtées dont ils ne soupçonnaient pas l'existence. Vous êtes tout un personnage ! Même si vos paroles exactes et bien formulées doivent être proférées à tout prix, vous vous offusquez lorsque vos remarques font tiquer les autres. Gardez vos vérités pour ceux qui ont vraiment envie de les entendre ; leur réaction positive vous procurera le respect que vous méritez.

CONSEILS PROFESSIONNELS

Vous avez besoin d'être respecté en tant qu'autorité dans le domaine dans lequel vous travaillez. Servez-vous de votre franchise pour éduquer les gens sur les façons d'optimiser leur travail et d'augmenter leur productivité. Quand les autres se rendront compte que leurs intérêts vous tiennent à cœur, ils respecteront vos talents. Vous êtes à votre meilleur quand vous assurez régulièrement un monde meilleur à ceux qui vous entourent. Une carrière dans des secteurs comme l'architecture résidentielle, l'immobilier ou l'assistance socio-psychologique vous permettra de vous sentir plus accompli.

TOUT IRA BIEN SI...

... avant de prodiguer des conseils aux autres, vous vous assurez qu'ils sont disposés à vous écouter. S'ils ne le sont pas, cessez de parler. Prenez note mentalement d'avoir cette conversation plus tard, en prenant soin de formuler ce que vous avez à dire avec moins d'émotion. Vous finirez par être entendu et la vérité éclatera.

Jaune, vert et blanc: les concepteurs

DÉCOUVREZ-VOUS

Vous créez de nouvelles façons d'améliorer les environnements. Votre conscience des autres et de ce qui vous entoure vous permet d'élaborer de meilleures structures de soutien. Vous concevez de nouveaux systèmes et de nouvelles façons d'améliorer les situations de travail ou de vie.

Un environnement sans trop de règles vous donnera la flexibilité de voir de nouvelles perspectives. Dans ce monde, vous pouvez identifier chaque aspect ou ressource de votre entourage qui vous permet, ainsi qu'aux autres, de vous sentir plus à l'aise. Vous sentirez cette élan de liberté spirituelle que vous recherchez.

FONCEZ

Vous aimez évaluer l'environnement et vous recherchez les meilleures options. Puisque vous ne vous faites pas d'opinion facilement, vous changez souvent de point de vue et vous modifiez vos objectifs à chaque étape d'une tâche. Profitez de votre souplesse pour évoluer en harmonie avec les situations. Faites en sorte que vos suggestions basées sur les faits portent leurs fruits.

MAIS PRENEZ GARDE

Vous pressentez quand les autres sont d'humeur à entendre ce qui doit être dit. C'est un don. Pourquoi parler à quelqu'un qui n'écoutera pas ? Le fait de savoir quand vous serez écouté vous permet de faire des changements dans les situations les plus difficiles ou avec les personnes les plus bornées.

CONSEILS RELATIONNELS

Vous êtes un amant, un ami ou un parent flexible et sensible. Vous êtes aussi très prévenant. Vous ne vous reposez pas tant que vous n'êtes pas certain que tout le monde va bien autour de vous. Assurez-vous de dire aux gens ce dont vous avez besoin, sinon vous aurez l'impression de tout faire pour les autres et de n'avoir rien en retour.

Si le bleu est la couleur primaire que vous aimez le moins, votre engagement émotionnel envers les autres est le ciment de votre vie. Vous avez une capacité incroyable à voir ce dont les autres ont besoin pour que leur vie fonctionne. C'est votre plus grande contribution. Étudiez attentivement ce que vous récoltez de vos diverses interactions ; vous constaterez que vous progressez dans vos relations. Vous vous rapprocherez de ceux que vous aimez.

Si le rouge est la couleur primaire que vous aimez le moins, votre manque de franchise peut cacher votre vrai moi, rendant ainsi la tâche très difficile aux autres qui se demandent comment vous soutenir. Quand vous aidez les autres, veillez à leur dire aussi ce dont vous avez besoin. Vous et tous ceux avec qui vous interagissez vous sentirez plus importants dans vos relations.

CONSEILS PROFESSIONNELS

Vos aptitudes à communiquer constituent un atout considérable dans le monde professionnel d'aujourd'hui. Vous comprenez la perspective des autres, ce qui vous aide à exprimer vos idées avec diplomatie. Vous aidez les autres à apprécier de nouvelles approches et différentes possibilités, ce qui contribue à faire tomber les barrières.

Quand vous êtes à votre meilleur, vous faites preuve de respect envers autrui et donnez une certaine intégrité à la conversation. La décoration d'intérieur, l'immobilier, l'orientation professionnelle, la programmation informatique, la planification de voyages, ou toute profession où vous pouvez suggérer des façon de construire un monde meilleur seraient l'idéal pour vous.

TOUT IRA BIEN SI...

... vous cessez de toujours envisager les besoins des autres et que vous vous concentrez sur vos propres besoins.

Jaune, vert et marron : les pourvoyeurs

DÉCOUVREZ-VOUS

Vous avez une grande capacité à vous identifier à différentes personnes et situations, que vous intégrez à votre propre psyché. En repérant ce qui doit être mieux équilibré, vous prenez conscience de ce dont les autres ont besoin pour exister. Cela vous aide à créer des environnements favorables qui vous permettent, à vous et aux autres, de vivre davantage dans le moment présent et de vous sentir plus en vie.

Votre soutien apaise et stabilise les autres, ce qui leur permet d'être réceptifs à votre point de vue sur ce dont ils ont besoin. Cela leur permet surtout d'être eux-mêmes. Votre véritable essence réside dans le fait que l'on ait besoin de vous et que vous puissiez offrir aux autres un monde meilleur. En donnant aux autres, vous vous apaisez vous-même.

FONCEZ

Mettez votre perspective très réaliste à contribution pour apprendre à améliorer votre environnement. Identifiez les besoins des autres en étudiant leurs actions, et dites-leur ce qu'il est impératif qu'ils fassent. Votre force tranquille inspire confiance et les gens s'ouvrent à vous, ce qui vous permet de leur faire des recommandations. Vous êtes reconnu comme une personne très généreuse, bien que vous ne pensiez probablement pas que ce soit le cas.

MAIS PRENEZ GARDE

Si vous avez l'impression d'être égoïste, c'est que vous n'êtes pas dans un environnement qui convient à vos capacités. Ne soyez pas une victime. Faites preuve de fermeté avec les personnes qui ne vous apprécient pas. Montrez-leur ce dont vous êtes capable. Votre travail acharné doit inspirer le respect, sans quoi vous risquez de craquer, d'être sur la défensive et de cacher l'amour et la sollicitude que vous avez à offrir.

CONSEILS RELATIONNELS

Pour comprendre votre énergie dans une relation, vous devez choisir une autre couleur achromatique. Préférez-vous le noir ou le blanc ? Après avoir choisi votre couleur, allez à la page appropriée pour lire la section se rapportant à vos conseils relationnels personnalisés.

Si vous préférez le noir, vous êtes un jaune-vert-noir (*cf.* p. 36). Si vous préférez le blanc, vous êtes un jaune-vert-blanc (*cf.* p. 39).

CONSEILS PROFESSIONNELS

Votre dévouement vous permet de canaliser votre énergie, mais vous ne progresserez dans votre carrière que si l'on vous permet d'être important. La reconnaissance vous donne la force de savoir comment vous y prendre pour arranger les choses et apporter votre soutien avant même qu'on ne vous le demande. Les métiers d'action dans lesquels vous pouvez être un expert – médecin, infirmière, physiothérapeute ou chiropraticien – sont susceptibles de vous plaire. Plus on a besoin de vous, plus vous prendrez plaisir à votre travail.

TOUT IRA BIEN SI...

... vous acceptez que vous avez un grand besoin d'être apprécié. Dirigez votre sollicitude vers ceux qui vous aiment. C'est seulement alors que vous serez en mesure de reconnaître votre contribution et d'en retirer davantage de fierté.

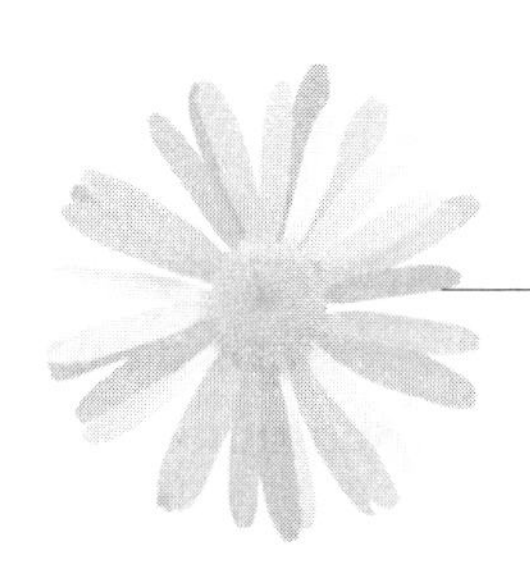

CHAPITRE CINQ

Jaune et violet

Les catalyseurs

VOTRE PERCEPTION DE VOUS-MÊME

Vous cherchez constamment à découvrir votre passion pour la vie. Le changement alimente votre feu intérieur. Vous explorez votre environnement, puis vous prenez du recul pour l'analyser, ce qui stimule votre croissance et vos intérêts. Vous appréciez la valeur de chaque instant et prenez plaisir à œuvrer pour la croissance personnelle.

Votre connaissance des vérités spirituelles inspire les autres à découvrir leur propre spiritualité. Votre nature curieuse rehausse vos pouvoirs intuitifs. Vous aidez les autres à prendre conscience d'eux-mêmes. Grâce à votre écoute active, vos observations intelligentes et l'expression de vos sentiments, vous suscitez chez les autres la passion nécessaire pour entreprendre des changements positifs.

Vous êtes un grand communicateur. Vous avez la capacité d'écouter en toute objectivité et comprenez l'éventail des possibilités. Pendant les conversations, vous êtes d'un dynamisme à toute épreuve. Vous êtes très perspicace et savez saisir l'essence de ce qui doit être fait. Vous êtes à votre meilleur, sur le plan personnel comme sur le plan professionnel, quand vous communiquez.

Toutefois, votre obsession du changement vous pousse à prendre trop à cœur les problèmes et les questions de votre monde. Servez-vous de votre talent naturel pour discerner ce qui est réel tout en considérant les possibilités. Si vous croyez en vous, vous prendrez la bonne décision. Vous savez apporter des changements positifs.

Si vous préférez le jaune au violet, vous considérez d'abord la réalité d'une situation, puis les possibilités.

Si vous préférez le violet au jaune, vous envisagez les possibilités pour les autres personnes et les choses avant de considérer votre propre avenir.

VOTRE TYPE D'ÉNERGIE : COMMENT LES AUTRES VOUS PERÇOIVENT

Maintenant que vous avez lu la section « Votre perception de vous-même », ajoutez votre choix de couleur achromatique (noir, blanc ou marron) à vos choix de couleurs primaire et secondaire afin de déterminer votre type d'énergie et de comprendre comment les autres vous perçoivent.

> Lisez votre profil de type d'énergie avec un ami. Ses commentaires vous donneront sans doute une perception plus claire de vous-même. Gardez à l'esprit que nous ne sommes pas forcément la personne que nous croyons être.

Jaune, violet et noir : les facilitateurs

DÉCOUVREZ-VOUS

Vous cherchez à connaître les valeurs spirituelles, à mieux comprendre le sens de la vie et à avoir un but. Vous analysez chaque sentiment auquel vous êtes confronté et vous essayez d'imaginer les possibilités. Votre vif intérêt vous permet d'être efficace.

Votre nature fortement intuitive vous donne également la capacité de comprendre ce dont les autres ont besoin pour leur croissance personnelle. Vous jugez les gens en fonction de la qualité de leur cœur et de leur potentiel spirituel, et non pas en fonction de leurs biens ou de leur statut. Vous créez une compréhension du moi intérieur.

FONCEZ

Vous avez le pouvoir d'inspirer les autres et de vivre les sentiments d'autrui comme si c'étaient les vôtres. Sans même le savoir, vous les entraînerez à découvrir leur moi spirituel. Votre sollicitude les aide à avoir suffisamment confiance en eux pour explorer leurs intérêts. Grâce à vous, ils ont le droit d'être eux-mêmes.

MAIS PRENEZ GARDE

Parfois, votre vif intérêt pour la croissance personnelle peut entraver votre progression. L'intensité fonctionne mieux lorsqu'elle est dirigée vers l'extérieur plutôt que vers l'intérieur. Ne laissez pas des pensées tourmentées par la culpabilité diminuer votre énergie. Dressez des barrières émotionnelles qui empêcheront que vous deveniez trop absorbé par vous-même ou par les situations des autres. Les inquiétudes compulsives peuvent représenter un mécanisme de défense destiné à éviter vos propres problèmes.

CONSEILS RELATIONNELS

Pour comprendre votre énergie dans une relation, vous devez choisir une autre couleur. Préférez-vous le bleu, le rouge, le vert ou l'orange ? Après avoir fait votre choix, allez à la page appropriée pour lire la section se rapportant à vos conseils relationnels personnalisés.

Si vous préférez le bleu, vous êtes un bleu-violet-noir (*cf.* p. 76). Si vous préférez le rouge, vous êtes un rouge-violet-noir (*cf.* p. 106). Si vous préférez le vert, vous êtes un jaune-vert-noir (*cf.* p. 36). Enfin, si vous préférez l'orange, vous êtes un jaune-orange-noir (*cf.* p. 57).

CONSEILS PROFESSIONNELS

Votre nature curieuse et déterminée vous donne la possibilité d'être un expert dans le domaine de votre choix. Vous éprouvez le désir d'explorer et d'analyser. C'est l'apprentissage qui vous motive, et non pas l'argent. Vous cherchez avant tout à faire et à expérimenter de nouvelles choses.

Et oui, vous êtes sociable. Vous pouvez vous régénérer et permettre aux autres d'atteindre leur plein potentiel. Parmi les carrières qui vous réussissent, on peut citer la médecine, le droit ou l'analyse de données.

TOUT IRA BIEN SI...

... vous êtes conscient que parfois vos actions deviennent des routines que vous répétez et que vous ne faites que ressasser la même chose mais d'un point de vue différent. Cela vous donnera une perspective claire de vous-même.

Jaune, violet et blanc: les magiciens spirituels

DÉCOUVREZ-VOUS

Vous cherchez constamment à déterminer quelles sont les personnes et les choses qui comptent vraiment dans votre vie. Au début, tout semble fonctionner. Au bout d'un moment, toutefois, vous êtes davantage en mesure de reconnaître le noyau de vos passions. Puis, vous commencez à vous demander si vous ne seriez pas plus heureux ailleurs, avec d'autres gens ou dans des situations différentes.

Vous veillez régulièrement à maintenir votre équilibre en recherchant de nouvelles options pour votre esprit. La nouveauté vous permet d'exprimer votre énergie intérieure. Vous aimez essayer toutes sortes de choses afin de connaître les sensations qu'elles procurent. Vous vous amusez lorsque votre environnement change constamment. N'est-ce pas là votre façon de générer davantage de passion dans vos relations et dans d'autres situations?

FONCEZ

Vous savez ce dont les gens ont besoin pour leur croissance personnelle. Soyez la force inspirante que vous êtes, et faites des suggestions aux autres pour qu'ils améliorent leur vie. Créez de meilleures raisons d'apprendre et de vivre ainsi que de nouvelles perspectives spirituelles qui vous aident à voir les vérités cachées. Servez-vous de vos excellentes aptitudes à communiquer pour convaincre les autres de rendre leur vie plus authentique. Soyez le magicien spirituel dont ce monde a tant besoin.

MAIS PRENEZ GARDE

En vous demandant constamment quoi faire, vous risquez d'entraver votre croissance personnelle. Vous pouvez vous laisser emporter au point de perdre votre capacité à établir des priorités pour vous-même. Votre monde peut sembler s'écrouler.

Faites confiance à vos propres convictions sur ce qui pourrait améliorer les choses. Vous vous rendrez compte que vous avez souvent raison. Ne vous éparpillez pas. Votre capacité à suggérer des façons de générer des passions intérieures est trop vitale pour ne pas être libérée.

CONSEILS RELATIONNELS

Pour comprendre votre énergie dans une relation, vous devez choisir une autre couleur. Préférez-vous le bleu, le rouge, le vert ou l'orange ? Après avoir fait votre choix, allez à la page appropriée pour lire la section se rapportant à vos conseils relationnels personnalisés.

Si vous préférez le bleu, vous êtes un bleu-violet-blanc (*cf.* p. 79). Si vous préférez le rouge, vous êtes un rouge-violet-blanc (*cf.* p. 109). Si vous préférez le vert, vous êtes un jaune-vert-blanc (*cf.* p. 39). Enfin, si vous préférez l'orange, vous êtes un jaune-orange-blanc (*cf.* p. 59).

CONSEILS PROFESSIONNELS

Vos décisions de carrière sont basées sur la croissance personnelle ; vous mettez l'emphase sur ce que vous allez apprendre. Vous préférez des emplois non répétitifs où l'on vous demande constamment d'envisager de nouvelles perspectives. La nouveauté vous stimule. Elle renforce votre confiance.

Vous pouvez occuper tout emploi qui implique un changement constant. Les entreprises à croissance rapide et les environnements orientés vers les projets où aucune journée ne se ressemble seront particulièrement stimulants pour vous. Vous avez besoin de respecter les gens pour qui vous travaillez. Après tout, il faut croire en quelqu'un pour pouvoir apprendre de lui.

TOUT IRA BIEN SI...

... vous célébrez vos victoires personnelles. Reconnaissez que vous avez stimulé la passion d'autrui. Votre pouvoir personnel n'en sera que renforcé. Vous verrez exactement qui vous êtes, et vous comprendrez comment régénérer votre propre passion.

Jaune, violet et marron : les shamans

DÉCOUVREZ-VOUS

Le fait de savoir ce que vous voulez et quand vous le voulez vous procure une liberté spirituelle. Cela alimente votre désir de vous guérir et de guérir les autres. Le fait d'exprimer votre passion procure à votre esprit l'habileté de reconstruire une âme blessée.

Vous avez conscience de l'énergie spirituelle qui vous entoure. Vous touchez les gens en profondeur, vous affectez leur vie. Sans qu'ils s'en doutent, vous donnez aux gens la conscience nécessaire pour déclarer leurs passions intérieures. Vous êtes un guérisseur spirituel.

FONCEZ

Encouragez les situations positives, et servez-vous de votre pouvoir pour identifier et éliminer celles qui ne le sont pas. Cela peut être aussi simple que de reconnaître si quelqu'un s'amuse ou non, ou de poser les bonnes questions pour aider chacun à comprendre ce qui se trame.

Très peu de gens ont votre niveau de conscience. Aussi, avertissez les personnes qui risquent de perdre leurs passions, et aidez-les à arranger les choses avant qu'il ne soit trop tard.

MAIS PRENEZ GARDE

Comme vous avez besoin d'expérimenter la vie à pleine vitesse, il est difficile pour les autres de remarquer vos mérites. Ils auront peut-être l'impression que vos conseils sont trop personnels et ils ne seront peut-être pas prêts à entendre ce que vous avez à dire.

Rappelez-vous vos contributions, et reconnaissez ce que vous accomplissez avec chaque action que vous entreprenez, sinon vous perdrez votre motivation et vous aurez du mal à terminer des choses importantes. Votre nature bonne et généreuse est trop précieuse pour rester enfouie au fond de vous.

CONSEILS RELATIONNELS

Pour comprendre votre énergie dans une relation, vous devez choisir une autre couleur. Préférez-vous le bleu, le rouge, le vert ou l'orange ?

Si vous préférez le bleu, vous êtes un bleu-violet. Si vous préférez le rouge, vous êtes un rouge-violet. Si vous préférez le vert, vous êtes un jaune-vert. Enfin, si vous préférez l'orange, vous êtes un jaune-orange.

Maintenant, vous devez choisir une autre couleur achromatique. Préférez-vous le noir ou le blanc ? Après avoir choisi, allez à la page appropriée pour lire la section se rapportant à vos conseils relationnels personnalisés.

Si vous préférez le noir, ajoutez cette couleur à ce que vous avez appris ci-dessus pour devenir un bleu-violet-noir (*cf.* p. 76), un rouge-violet-noir (*cf.* p. 106), un jaune-vert-noir (*cf.* p. 36) ou un jaune-orange-noir (*cf.* p. 57). Si vous préférez le blanc, vous devenez un bleu-violet-blanc (*cf.* p. 79), un rouge-violet-blanc (*cf.* p. 109), un jaune-vert-blanc (*cf.* p. 39) ou un jaune-orange-blanc (*cf.* p. 59).

CONSEILS PROFESSIONNELS

Choisissez un environnement dans lequel vous pouvez faire votre propre projet conjointement avec quelqu'un d'autre. Vous êtes attiré par les gens qui vous en apprendront par l'entremise de nouvelles expériences. Vous savez reconnaître une opportunité quand elle se présente. Faire l'expérience de nouvelles situations vous procure des sensations fortes ; elles vous permettent d'apprendre comment mieux vous intégrer dans le monde qui vous entoure.

Profitez de votre capacité à faire fonctionner les choses. Vous bénéficierez des professions à haut niveau d'activité où vous ferez partie d'une équipe ou participerez à des technologies de développement comme les systèmes informatiques.

TOUT IRA BIEN SI...

... vous dites à ceux qui vous tiennent à cœur combien vous leur êtes dévoué. Agir pour les autres ne suffit pas. Il faut aussi qu'ils entendent vos sentiments dans vos propres mots. Vos amis vous rappelleront alors ce que vous leur apportez. Cela régénérera votre esprit.

CHAPITRE SIX

Jaune et orange

Les penseurs techniques

VOTRE PERCEPTION DE VOUS-MÊME

Vous raisonnez en termes d'efficacité. En établissant une approche systématique, vous avez une meilleure compréhension des tâches, des relations, voire de la vie. De par votre réalisme, les autres vous perçoivent comme une personne technique. Quant à vous, vous vous percevez comme une personne qui maximise les ressources.

Vous vous amusez à examiner les talents et les ressources qui vous entourent. Votre approche expérimentale permet au monde de se révéler à vous. Vos découvertes vous confèrent le pouvoir d'utiliser les talents et les ressources à meilleur escient.

Ce qui vous plaît, c'est de vous investir émotionnellement dans l'analyse de la façon dont les faits concordent. Vous passez en revue les aspects réussis d'une tâche ou d'une relation comme si vous faisiez un puzzle. Chaque pièce est une ressource ou une valeur personnelle qui peut être utilisée pour faire quelque chose de nouveau ou pour réinventer une relation. À la grande stupéfaction des autres, vous créez quelque chose d'original à partir de ce qui existe déjà.

Sous pression, votre approche technique vous aide à voir ce qui n'a pas été fait. Cela peut mettre les autres sur la défensive; ils peuvent vous percevoir comme une personne protocolaire ou rigide. Puisque vous êtes généralement la première personne à remarquer qu'une erreur a été commise, vous rendez les gens nerveux.

Soyez vigilant si vous êtes dans un environnement qui n'est pas stimulant. Sans un flux régulier de nouvelles informations, vous risquez de vous encroûter. Les autres vous percevront comme quelqu'un de négatif ou de tatillon. En réalité, vous vous sentez perdu et vous cherchez à trouver ce que vous voulez.

Si vous préférez le jaune au orange, votre croissance personnelle passe avant vos relations.

Si vous préférez l'orange au jaune, les besoins des autres passent avant les vôtres.

VOTRE TYPE D'ÉNERGIE : COMMENT LES AUTRES VOUS PERÇOIVENT

Maintenant que vous avez lu la section « Votre perception de vous-même », ajoutez votre choix de couleur achromatique (noir, blanc ou marron) à vos choix de couleurs primaire et secondaire afin de déterminer votre type d'énergie et de comprendre comment les autres vous perçoivent.

> Lisez votre profil de type d'énergie avec un ami. Ses commentaires vous donneront sans doute une perception plus claire de vous-même. Gardez à l'esprit que nous ne sommes pas forcément la personne que nous croyons être.

Jaune, orange et noir : les inventeurs

DÉCOUVREZ-VOUS

Vous êtes capable de transformer vos diverses expériences en quelque chose de cohésif. Les informations techniques et les différents projets sont regroupés et utilisés pour des inventions futures. Vous possédez la capacité unique d'être capable de travailler avec les gens et les choses. Vous aimez vivre à toute vitesse, mais vous ralentissez pour traiter l'information et prendre des décisions à long terme. Ce changement de vitesse vous aide à obtenir ce que vous voulez.

FONCEZ

Vous êtes un innovateur, vous avez une longueur d'avance sur les autres lorsqu'il s'agit de personnes et de projets. Vous avez la capacité de créer quelque chose à partir de rien en réinventant les ressources autour de vous. Lorsque vous raisonnez de façon directe et intense, les nouvelles idées et possibilités affluent. Concentrez-vous sur quelque chose, et rien ne pourra vous arrêter. Votre savoir-faire est sans pareil.

MAIS PRENEZ GARDE

De prime abord, les gens ne perçoivent pas votre chaleur. Ils s'arrêtent plutôt à vos défenses. Mais lorsqu'ils qu'ils découvrent votre moi chaleureux et vulnérable, ils prennent conscience de vos besoins et de leur importance dans votre vie.

CONSEILS RELATIONNELS

Il est difficile d'ignorer votre énergie et votre magnétisme quand vous entrez dans une pièce. Vous êtes une personne très inventive et divertissante. Les autres apprennent à connaître votre côté sensible grâce aux efforts que vous déployez à leur égard. Vous mettez de la vie aux endroits qui en ont besoin. Vous aimez particulièrement transformer en fête les situations les plus ennuyeuses ou les routines les plus banales. Vous êtes à votre meilleur quand vous créez des changements positifs.

Si le bleu est la couleur primaire que vous aimez le moins, c'est le fait d'accepter les changements qui maintient votre équilibre. Vous utilisez vos boutons « marche » et « arrêt » pour établir vos limites, ce qui vous permet de protéger votre cœur. Prenez garde : lorsque vous ne vous portez pas attention à vos pensées, vous pouvez perdre votre capacité à voir la situation dans son ensemble.

Si le rouge est la couleur primaire que vous aimez le moins, vous recherchez le respect. Si vous cachez au départ qui vous êtes, les autres sont vite confrontés à un individu dont ils ignoraient l'existence. Vous êtes une énigme. Malgré tous vos accomplissements, vous pouvez vous sentir blessé si votre audace fait tiquer les autres. Dirigez votre énergie vers les gens qui prennent la peine de vous écouter. Leur réaction positive et leur respect sont ce que vous méritez.

CONSEILS PROFESSIONNELS

Utilisez vos capacités à encourager les gens et à construire de nouvelles choses en rassemblant les ressources et les talents qui vous entourent. Vous êtes doué pour le travail technique. Vous êtes aussi un grand motivateur. Servez-vous de ces deux atouts et vous vous sentirez épanoui. Vos capacités interpersonnelles et techniques satisfont à un vaste éventail de métiers.

TOUT IRA BIEN SI...

... vous cessez d'avancer dans la vie avec une liste de vérification préétablie, sans quoi même ceux que vous aimez se sentiront insignifiants, comme les articles d'une longue liste d'emplettes.

Jaune, orange et blanc : les accros de l'information

DÉCOUVREZ-VOUS

Vous êtes à l'affût de l'information pour obtenir une reconnaissance personnelle. Vous décortiquez les choses pour voir comment elles sont faites et pour vous demander ensuite pourquoi elles n'ont pas été faites autrement. Vous essayez de vous concentrer sur l'apprentissage de faits pertinents et vous avez conscience que ce qui est aujourd'hui en vogue sera un jour obsolète. Cette appréciation du monde vous maintient à la pointe. Vous êtes le premier à connaître les informations les plus récentes.

Vous représentez la combinaison de couleurs la plus claire et la plus vague du spectre. Vous vous adaptez à toutes les situations. Vous modelez votre comportement en fonction de votre entourage. En l'absence de conflits et de barrières, vous êtes en mesure de recevoir davantage d'informations.

FONCEZ

Examinez les options et les ressources disponibles. Votre façon méthodique d'analyser les faits est votre plus grand talent. En faisant continuellement des suggestions sur les options disponibles, vous pouvez vous concentrer sur les faits indépendamment des pressions de la vie. Vos connaissances facilitent la vie des autres, la rendant plus équilibrée émotionnellement et plus centrée sur l'essentiel.

MAIS PRENEZ GARDE

Évitez d'élaborer des projets à tout va pour ensuite ne pas les accomplir. Lorsque vous vous emportez et que vous êtes surchargé d'informations, vous avez du mal à réfléchir clairement. Les autres peuvent vous percevoir comme une personne qui n'a pas d'objectifs clair dans la vie.

CONSEILS RELATIONNELS

Avec votre personnalité énergique, curieuse et pleine de vivacité, vous êtes à l'écoute de tous ceux qui vous entourent. Vous proposez des solutions extravagantes qui fonctionnent la plupart du temps. Lorsque vous êtes mal à l'aise, en revanche, vous donnez trop d'information. Parlez moins et vos conseils inestimables vous procureront en retour la reconnaissance que vous recherchez.

Si le bleu est la couleur primaire que vous aimez le moins, votre dévouement pour les autres est le ciment de votre vie et vous aide à voir ce dont ils ont besoin pour améliorer leur existence. En vous appréciant vous-même, vous serez plus proche de ceux que vous aimez.

Si le rouge est la couleur primaire que vous aimez le moins, vous avez grandement besoin d'être apprécié par vos pairs. Mais ne minaudez pas et ne vous cachez pas derrière la connaissance pour essayer d'impressionner les gens, car ils auront du mal à vous apprécier pour ce que vous avez à dire. Lorsque vous prodiguez des conseils aux autres, essayez de ne pas négliger vos propres sentiments. Plus vous serez sincère, plus vous serez proche des autres.

CONSEILS PROFESSIONNELS

En analysant les données et les faits, vous savez si quelque chose va fonctionner ou non. Vous réussirez particulièrement bien dans des emplois où vous pouvez vous appuyer sur votre expertise des faits. Envisagez de travailler dans l'informatique, la recherche, ou d'être bibliothécaire.

Allez-y franchement quand vous corrigez vos collègues ou que vous leur donnez des instructions. En étant ferme, vous les aiderez à voir pourquoi les choses doivent être faites d'une certaine façon. C'est seulement après avoir passé un certain temps avec vous qu'ils s'habitueront à vos critiques discrètes.

TOUT IRA BIEN SI...

... vous réfléchissez plus longuement aux nuances que vous envisagez, sans quoi, dans votre quête de nouvelles informations, vous vous perdrez dans les détails.

Jaune, orange et marron : les médiateurs

DÉCOUVREZ-VOUS

Vous êtes celui qui s'assure que tout fonctionne bien, qu'il s'agisse de la vie de vos amis ou de mécanique, comme un moteur bruyant. Vous avez la capacité de percevoir les besoins des autres et de comprendre ce que vous pouvez faire pour les aider. Lorsque vous êtes dévoué et loyal envers quelqu'un, vous l'aidez à identifier ses forces.

FONCEZ

Vous avez la capacité de créer un monde dans lequel les autres peuvent avoir davantage de passion. Votre haut niveau d'énergie et votre mode de vie intense donnent du piquant aux moments les plus ennuyeux. Vous offrez un exemple parfait de la façon de vivre.

Servez-vous de votre capacité à voir comment les choses fonctionnent pour régénérer vos relations et d'autres situations. Concentrez-vous sur la cohérence de l'ensemble. Vous donnerez aux autres une meilleure compréhension de leurs processus quotidiens et vous augmenterez leur capacité à apprécier les moments de leur vie pris en eux-mêmes. Cette perspective positive est votre point fort.

MAIS PRENEZ GARDE

Gare à ne pas devenir trop absorbé par ce que vous faites. Si vous perdez de vue votre objectif, vous perdrez votre créativité et vous vous perdrez vous-même. Demeurez en contact avec votre avenir en restant dévoué à votre projet global. Ne sonnez pas l'alarme lorsque vous identifiez instinctivement les actions négatives des autres. Donnez-leur un peu de temps. Les gens n'ont tout simplement pas autant conscience que vous des conséquences de leurs actes.

CONSEILS RELATIONNELS

Pour comprendre votre énergie dans une relation, vous devez choisir une autre couleur achromatique. Préférez-vous le noir ou le blanc ? Après avoir choisi, allez à la page appropriée pour lire la section se rapportant à vos conseils relationnels personnalisés.

Si vous préférez le noir, vous êtes un jaune-orange-noir (*cf.* p. 57). Si vous préférez le blanc, vous êtes un jaune-orange-blanc (*cf.* p. 59).

CONSEILS PROFESSIONNELS

Vous avez une bonne compréhension de la contribution d'autrui. Servez-vous de votre capacité à distinguer les personnes qui agissent de celles qui parlent. Les gens auront beau essayer de prendre avantage émotionnellement de vous, ils n'y parviendront pas. Utilisez votre sens de la précision pour vous assurer que les faits sont bien la considération première.

Vous réussirez particulièrement bien dans des métiers qui vous permettent de vous concentrer sur les aspects pratiques et sur le fait de réparer les choses. Évitez les environnements de travail dans lesquels vous êtes forcé de composer avec des concepts abstraits.

TOUT IRA BIEN SI…

… vous conscientisez les gens à vos réalisations. Cela vous aidera à identifier ceux qui croient réellement en vos capacités. Sinon, vous vous sentirez moins impliqué et vous risquez de perdre de vue vos objectifs.

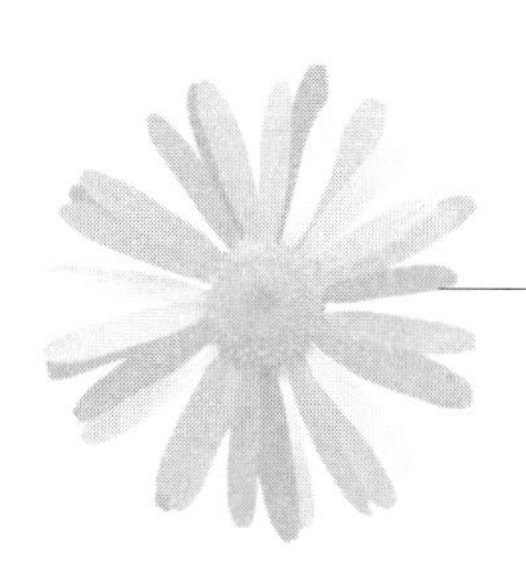

CHAPITRE SEPT

Bleu et vert

Les ancres

VOTRE PERCEPTION DE VOUS-MÊME

Vous aimez soutenir les autres et vous occuper d'eux. Votre curiosité inépuisable les pousse à vous dire ce qu'ils pensent. Vous comprenez les rêves des gens et vous êtes sensible à leurs besoins. Vous les aidez à croire en leurs propres capacités. Votre sollicitude à leur égard les fait se sentir importants. Votre écoute les réconforte.

Dans un premier temps, alors que les autres s'imaginent que vous êtes comme eux, vous avez besoin de vous intégrer. Puis, votre vrai moi fait son apparition. Votre entourage doit alors se refamiliariser avec une personne qu'il croyait connaître. Votre personnalité authentique aura peut-être moins de points communs avec eux qu'ils ne le pensaient. En raison de cette disparité, il vous arrive d'attirer des situations et des relations qui ne vous procurent pas ce dont vous avez besoin.

Vous écoutez intensément; vous voulez savoir comment les gens se sentent. Cela vous confère également une meilleure oreille pour la musique et les langues. Si vous en avez la possibilité, vous pouvez bien jouer d'un instrument de musique et parler votre langue maternelle ou d'autres langues sans accent. Vous vous exprimez bien.

Lorsque vous devenez trop à l'aise ou trop sérieux, vous pouvez négliger votre croissance personnelle et vos relations. Soyez plus précis quant à vos attentes. Les autres sauront alors comment subvenir à vos besoins et votre vie sera plus agréable.

Si vous préférez le bleu au vert, votre carrière ou vos objectifs personnels constituent votre priorité absolue. Vos relations doivent être en accord avec vos rêves.

Si vous préférez le vert au bleu, les rêves des autres passent avant les vôtres.

VOTRE TYPE D'ÉNERGIE : COMMENT LES AUTRES VOUS PERÇOIVENT

Maintenant que vous avez lu la section « Votre perception de vous-même », ajoutez votre choix de couleur achromatique (noir, blanc ou marron) à vos choix de couleurs primaire et secondaire afin de déterminer votre type d'énergie et de comprendre comment les autres vous perçoivent.

> Lisez votre profil de type d'énergie avec un ami. Ses commentaires vous donneront sans doute une perception plus claire de vous-même. Gardez à l'esprit que nous ne sommes pas forcément la personne que nous croyons être.

Bleu, vert et noir : les créateurs d'identité

DÉCOUVREZ-VOUS

Vous êtes à l'écoute de vos émotions et vous exprimez clairement ce que vous voulez. Lorsque vous écoutez les autres vous parler de leurs inquiétudes, vous trouvez ce qui est le meilleur pour eux. Vous les aidez à s'accepter tels qu'ils sont. Ils découvrent des choses qu'ils avaient enfouies au fond d'eux-mêmes et qu'ils avaient peur d'affronter. Vous renforcez leur identité. Vous offrez aux autres le cadeau d'une meilleure connaissance de soi.

FONCEZ

Vous comprenez intuitivement les espoirs et les peurs des autres au ton de leur voix. Engagez la conversation de façon à les aider à découvrir ce dont ils ont besoin. Communiquez-leur vos inquiétudes à leur sujet sous forme de suggestions. Maintenir les situations et les gens sur la bonne voie est votre plus grand talent. Cela vous permet également de déterminer votre identité.

MAIS PRENEZ GARDE

Vous avez un grand besoin d'être entendu par les gens autant que vous les entendez. Si vous êtes frustré, vous posez aux autres des questions sur des décisions que vous avez déjà prises. Tandis que vous cherchez à confirmer vos sentiments, les gens peuvent avoir l'impression que leurs commentaires ne vous intéressent pas. Ils ont l'impression que vous n'écoutez pas ce qu'ils disent. Vous les entendez, mais il vous faut plus de temps pour traiter l'information relative à vos sentiments.

CONSEILS RELATIONNELS

Votre apparence attirante et votre naturel attentionné sont très séduisants. Vos yeux attentifs expriment une réelle sollicitude. Vous aimez vous faire gâter. Vous vous préoccupez du soutien dont vous avez besoin et de celui que vous procurez aux autres. Cela fait de vous une personne particulièrement douée dans le domaine relationnel. Vous portez un amour sincère à ceux qui vous entourent. C'est l'un de vos plus grands pouvoirs.

Si le jaune est la couleur primaire que vous aimez le moins, vous percevez les autres comme ce qu'ils croient être. Attention : vous risquez d'attirer une personne qui ne respecte pas vos préoccupations. Ne soyez pas aussi têtu. Assurez-vous que vos attentes sont réalistes avant de vous jeter sur quelqu'un.

Si le rouge est la couleur primaire que vous aimez le moins, vous avez l'air très vulnérable, ce qui vous rend très séduisant. Les autres ressentent le besoin de vous donner tout ce que vous voulez. Le problème, c'est qu'ils ignorent tout de vous, notamment ce que vous voulez vraiment. Exprimez-vous davantage.

CONSEILS PROFESSIONNELS

Soyez sensible aux émotions de vos collègues et soutenez-les. C'est une responsabilité que vous réclamez avec raison. Si vous êtes directeur, appréciez votre capacité à rester dévoué à votre équipe et vous bénéficierez de l'engagement et de la loyauté de vos employés. Prenez garde. Si vous devenez trop intime avec les personnes avec lesquelles vous travaillez, vous n'arriverez pas à leur donner des conseils objectifs. Vous êtes à votre meilleur dans des environnements où vous travaillez constamment avec de nouveaux clients et de nouvelles situations.

Les carrières qui vous permettent d'entendre et d'exprimer comment les autres se sentent sont idéales pour vous. Travailler comme écrivain, acteur, psychologue, directeur ou concepteur de programmes de soutien vous permettra d'utiliser vos talents naturels.

TOUT IRA BIEN SI...

... vous arrêtez de parler de ce qui ne vous convient pas ou d'y réfléchir. Le fait de ressasser trop longtemps des situations ou des relations qui ne vous conviennent pas peut vous empêcher d'aller de l'avant.

Bleu, vert et blanc: les intellectuels

DÉCOUVREZ-VOUS

Votre objectivité aide les gens à comprendre ce dont ils ont besoin pour avoir une vie plus équilibrée. Grâce à votre franchise et à vos commentaires impartiaux, il est facile pour les autres de vous écouter. Ils comprennent que votre envie d'améliorer leur vie est sincère. Faire progresser les choses suscite votre passion intérieure.

FONCEZ

Vous avez un jugement perspicace, même dans des situations difficiles où les autres perdent leur sang-froid. En demeurant objectif et à l'écoute, vous avez le pouvoir de recommander des solutions. C'est votre talent naturel. Vous pouvez garder vos distances tout en maintenant votre sollicitude. La confiance que les gens ont en vous vous donne la force intérieure de croire davantage en vous-même.

MAIS PRENEZ GARDE

Lorsque vous êtes préoccupé, vous mettez une distance entre vous et ceux qui comptent sur vous. Cela peut vous faire paraître distant, et les gens se demanderont peut-être si vous croyez en eux. Si vous ne laissez pas les autres voir qui vous êtes et comment vous vous sentez, ils deviendront distants et auront l'impression de ne pas être importants dans votre vie. Vous êtes capable d'éloigner les personnes qui vous aiment, vous chérissent et vous soutiennent le plus.

CONSEILS RELATIONNELS

Les autres s'intéressent à vous parce que vous leur accordez toute votre attention. Puis, vous vous montrez indisponible. Certains trouveront cela séduisant, mais il leur sera difficile de se rapprocher de vous. L'intimité peut vous mettre mal à l'aise au bout d'un moment. Vous exigez des informations sur les gens avant de pouvoir être proche d'eux.

Si le jaune est la couleur primaire que vous aimez le moins, vous avez l'air très ouvert et très attachant. Les autres sentent que vous avez besoin d'être aimé. Puis, vous devenez replié sur vous-mêmes. N'essayez-vous pas de justifier de façon logique si la relation en question a une valeur pour vous ? Faites attention. Préoccupez-vous de ceux que vous aimez.

Si le rouge est la couleur primaire que vous aimez le moins, les autres vous perçoivent comme quelqu'un de très mystérieux, qui aime flirter. Vous appréciez la stimulation intellectuelle. Vous pouvez toutefois vous retrouver dans des relations où il y a très peu de chimie physique. Vos émotions peuvent dire oui, tandis que vous pensez non. S'il y a une attirance sexuelle, il y a une possibilité de relation solide. Vous demeurerez curieux de toutes les options disponibles. Avec qui d'autre aimeriez-vous être ? Comment vous sentiriez-vous ?

CONSEILS PROFESSIONNELS

Vous êtes à votre meilleur quand vous recommandez des façons plus faciles de faire les choses. Vous n'êtes pas obnubilé par le besoin d'atteindre l'objectif final. Votre perspective neutre vous permet d'enseigner, d'occuper des fonctions d'encadrement ou de travailler pour de grandes entreprises.

TOUT IRA BIEN SI...

... vous communiquez votre besoin d'espace et que vous prenez le temps de reconnaître les relations et les situations qui vous sont indispensables.

Bleu, vert et marron : les faiseurs de rêves

DÉCOUVREZ-VOUS

Vous ressentez un sentiment d'harmonie personnelle lorsque vous aidez les gens. Votre capacité d'écoute et de faire des suggestions leur permet de prendre davantage conscience de ce dont ils ont besoin. Ils obtiennent une perspective équilibrée. Vous évitez les extrêmes et vous utilisez les faits pour améliorer les situations. Vous savez quelles étapes suivre afin que les rêves des autres se réalisent.

FONCEZ

Votre grande compréhension des besoins des gens vous permet d'aborder vos relations et votre environnement de façon réaliste. Servez-vous de votre talent naturel pour promouvoir les gens et les causes. Endossez les fardeaux des autres comme si c'étaient les vôtres. Vous créerez de nouveaux mondes qui profiteront à tous. Vous êtes un faiseur de rêves.

MAIS PRENEZ GARDE

En période de crise, lorsque les événements peuvent être accablants, vous avez tendance à trop vous préoccuper de ce dont les autres ont besoin. Vous finissez par vous sentir défavorisé et vous réagissez de manière excessive en faisant ce que vous voulez sans tenir compte de la réalité. Cela peut vous amener à détruire des choses qui vous manqueront plus tard. Être trop gentil puis trop égoïste peut finir par empêcher les autres d'apprécier le bien que vous faites.

CONSEILS RELATIONNELS

Pour comprendre votre comportement dans une relation, vous devez choisir une autre couleur achromatique. Préférez-vous le noir ou le blanc ?

Si vous préférez le noir, vous êtes un bleu-vert-noir (*cf.* p. 66). Si vous préférez le blanc, vous êtes un bleu-vert-blanc (*cf.* p. 69). Après avoir choisi, allez à la page appropriée pour lire la section se rapportant à vos conseils relationnels personnalisés.

CONSEILS PROFESSIONNELS

Plus vous êtes impliqué, plus votre travail est plaisant. Vous aimez créer des environnements qui permettent aux autres de croire en l'avenir. Reconnaissez votre capacité à accomplir des tâches. Agissez en déployant une énergie positive. Les gens sentiront votre feu intérieur et seront motivés pour agir.

Vous êtes à votre meilleur lorsque vous soutenez les gens en période de crise ou que vous rétablissez une situation problématique. Vous avez une perspective concrète de la vie et aimez aider. Vous aimeriez travailler comme médecin, infirmière, physiothérapeute, formateur de personnel, chiropracticien ou menuisier.

TOUT IRA BIEN SI...

... vous arrêtez d'être si dévoué envers les autres et que vous leur faites part de ce dont vous avez besoin. Vous pourrez à nouveau jouir de la vie.

CHAPITRE HUIT

Bleu et violet

Les penseurs

VOTRE PERCEPTION DE VOUS-MÊME

Vous réfléchissez sur l'existence. Vous avez besoin de savoir le pourquoi du comment. Les conclusions auxquelles vous parvenez vous permettent de voir les choses dans leur ensemble. Votre compréhension de ce qui est requis vous permet de faire des améliorations. En vous concentrant sur l'avenir, vous réfléchissez à des idées comme si elles étaient déjà accomplies. Vous vivez dans cette vision de l'avenir qui est une image dans votre tête.

Vous être à votre meilleur lorsque vous comprenez la motivation humaine et les lois de cause à effet. Vous passez votre temps à catégoriser les choses pour élaborer des plans d'action. Sans ces plans, il peut vous être difficile d'être organisé. Vous devenez alors un rêveur dispersé.

Vous êtes un pionnier. Ce qui vous fait vibrer, c'est d'élaborer de nouvelles idées et structures. Faire de vos idées des réalités permet à vos passions de s'exprimer. Quand vous avez réellement la foi, vous pouvez imaginer des choses sans tenir compte de la vérité. Les fausses hypothèses que vous avez sur vous-même ou sur les autres peuvent vous déstabiliser.

Votre besoin constant de faire quelque chose de nouveau peut vous empêcher d'apprécier ce que vous avez accompli. Trop d'images dans votre tête peut rendre votre vie difficile. Certaines situations ou personnes ne seront pas à la hauteur. Sans en être conscient, vous pouvez demander l'inaccessible, surtout de vous-même.

Si vous préférez le bleu au violet, vos rêves passent avant vos relations.

Si vous préférez le violet au bleu, vous cherchez avant tout à renforcer votre position dans vos relations existantes.

VOTRE TYPE D'ÉNERGIE : COMMENT LES AUTRES VOUS PERÇOIVENT

Maintenant que vous avez lu la section « Votre perception de vous-même », ajoutez votre choix de couleur achromatique (noir, blanc ou marron) à vos choix de couleurs primaire et secondaire afin de déterminer votre type d'énergie et de comprendre comment les autres vous perçoivent.

> Lisez votre profil de type d'énergie avec un ami. Ses commentaires vous donneront sans doute une perception plus claire de vous-même. Gardez à l'esprit que nous ne sommes pas forcément la personne que nous croyons être.

Bleu, violet et noir : les pionniers

DÉCOUVREZ-VOUS

Vous réfléchissez à ce qui pousse les gens à agir. En comprenant les motivations des autres, vous cherchez à créer un monde meilleur. Changer le monde qui vous entoure grâce à vos réalisations personnelles est votre défi quotidien. L'analyse constante des sentiments, des pensées et des idées est votre passion.

FONCEZ

Vous êtes la couleur la plus foncée du spectre. Or, les teintes foncées dénotent une profondeur émotionnelle. Servez-vous de vos talents pour visualiser les possibilités. Votre capacité à voir les choses clairement dans votre esprit vous aide à accomplir des tâches en faisant peu de faux-pas et sans trop de risques. Les autres perçoivent cette qualité comme de l'assurance ; ils pensent que vous savez toujours ce que vous faites. Restez concentré sur les choses dans leur ensemble. Quand vous comprenez le concept général, rien ne vous est impossible.

MAIS PRENEZ GARDE

Vous ne pourrez pas accomplir les choses exactement comme vous l'imaginez. Soyez réaliste et prenez conscience que chaque processus doit être constamment réorganisé et adapté. Lorsque vous sentez que les émotions prennent le dessus, faites une pause et respirez à fond. Vous ignorez probablement certains faits ou problèmes concrets. Avez-vous des attentes irréalistes ? Voyez-vous une solution plus facile ? Non, vous ne pouvez pas obtenir tout ce à quoi vous vous attendiez, mais vous pouvez en obtenir une bonne partie.

CONSEILS RELATIONNELS

Vos idées romantiques rendent le monde qui vous entoure tout à fait charmant. Vous avez besoin d'être enveloppé par l'être aimé. Oubliez les détails pratiques : le fantasme est plus amusant.

Si le jaune est la couleur primaire que vous aimez le moins, votre côté dramatique et excentrique est sexy. Malheureusement, vous allez souvent trop vite et vous obtenez ce que vous pensez vouloir au lieu de ce dont vous avez réellement besoin. Soyez plus prudent et plus réaliste vis-à-vis des autres avant de vous engager, sans quoi vous serez constamment déçu.

Si le rouge est la couleur primaire que vous aimez le moins, vous percevez la profondeur et les possibilités de chaque personne. Cela vous rend très attirant. Vous êtes ouvert à tout. Les autres adorent votre style amusant et accommodant. Toutefois, votre franchise peut vous rendre vulnérable. Aimer une personne et prendre soin d'elle ne signifie pas ignorer vos propres besoins. Dressez une liste de vos critères. Si quelqu'un ou quelque chose ne correspond pas à l'un de ces critères, parlez-en.

CONSEILS PROFESSIONNELS

Servez-vous de votre capacité à voir les choses dans leur ensemble pour développer de nouveaux marchés, de nouvelles idées et de nouvelles entreprises. Vous percevez ce qui fait défaut et vous savez ce qui est nécessaire pour accomplir les projets. Vous êtes un grand motivateur qui avez besoin de créer un impact et d'exprimer de nouvelles idées. Votre sens dramatique contribue à engager l'action. Les secteurs créatifs comme la publicité, le marketing, les ventes, le design, le droit avec plaidoyers, ou tout domaine qui vous permette de sonder l'inconnu, vous rendront heureux.

TOUT IRA BIEN SI...

... vous arrêtez de constamment réfléchir. Cette obsession pour vos idées ou la planification de ce que vous allez ressentir peut vous empêcher d'apprécier votre vie à sa juste valeur.

Bleu, violet et blanc: les as de la résolution de problèmes

DÉCOUVREZ-VOUS

Vous analysez constamment ce dont chaque personne ou chaque situation a besoin. Vous voulez savoir ce qui fait défaut. Pendant que vous réfléchissez calmement à tout cela, les autres peuvent vous percevoir comme passif ou silencieux. Après vous être penché sur tous les éléments de la situation, vous émettez une suggestion judicieuse sur la façon d'améliorer une situation ou la vie de quelqu'un. La résolution de problèmes représente votre plus grande passion.

FONCEZ

Examinez les idées et les situations. Faites part aux autres des meilleures façons de résoudre un problème. Soyez ferme. La façon dont vous vous forcez à travailler sous pression vous permet de donner le meilleur de vous-même. Vous pouvez voir une idée et la critiquer jusqu'à ce qu'elle soit parfaite. Exigez de l'autonomie; vous en avez besoin pour terminer ce que vous avez commencé. Un résultat clair et fructueux sera votre récompense.

MAIS PRENEZ GARDE

Quand vous ne savez pas ce que vous voulez, vous pouvez sembler mou. Cela peut également nuire à votre concentration. La pression externe peut détruire votre capacité à vous concentrer et à être créatif.

Élaborez votre propre plan et prenez le temps d'envisager toutes les options. Afin de prendre le temps de réfléchir à la résolution de problèmes, dites aux autres que vous leur répondrez plus tard. Vous pourrez alors leur faire part de vos réflexions sur la façon de résoudre les difficultés.

CONSEILS RELATIONNELS

Votre style élégant est source de possibilités romantiques. Lorsque vous rencontrez une personne pour la première fois, vous ignorez totalement si elle est faite pour vous. Ce n'est qu'en passant du temps seul avec elle que vous saurez si elle correspond à votre idéal.

Si le jaune est la couleur primaire que vous aimez le moins, votre besoin de connaître toutes les réponses peut vous faire paraître indisponible ou quelque peu cérémonieux. Puis, tout à coup, les autres peuvent vous percevoir comme une personne très ouverte. Profitez du moment présent plutôt que d'être obsédé par l'avenir. Les autres verront votre chaleur. La personne ou la chose que vous recherchez apparaîtra.

Si le rouge est la couleur primaire que vous aimez le moins, vous êtes séduisant et fascinant ; vous pouvez même évoquer un sens de l'interdit. Les autres vous trouveront très attirant et seront peut-être surpris lorsqu'ils constateront combien la logique influence votre réflexion. Exprimez vos sentiments, pas seulement vos pensées, sans quoi vous perdrez beaucoup de temps et engendrerez beaucoup de frustrations.

CONSEILS PROFESSIONNELS

Analysez vos options et servez-vous de votre créativité pour concrétiser vos idées. Exigez de savoir pourquoi qui a fait quoi. Cela permettra à votre esprit logique d'assembler les morceaux du puzzle. Vous êtes doué pour organiser, développer et créer des choses. Toutefois, l'excès d'idées, de projets ou de sujets différents peut vous amener à vous disperser.

Vos conseils offrent aux autres de nouvelles perspectives sur la façon de créer un avenir meilleur. Vous excelleriez dans des domaines comme l'orientation professionnelle, les relations publiques, les ressources humaines, le droit d'entreprise ou l'architecture.

TOUT IRA BIEN SI...

... vous vous ménagez du temps et de l'espace pour relier vos idées entre elles. Votre réflexion est d'abord rigide, puis souple. Vous êtes en mesure de fondre ces deux tendances en un plan d'ensemble.

Bleu, violet et marron : les penseurs scientifiques

DÉCOUVREZ-VOUS

Vous conjecturez sur les possibilités, puis vous les évaluez. Vous examinez avec passion de nouvelles méthodes afin de voir ce qui fonctionne. Votre curiosité et votre approche méthodique vous aident à mieux comprendre l'avenir de vos relations et des autres situations.

Grâce à votre sensibilité et à votre croyance que les choses fonctionneront, vous êtes en mesure de vous dévouer à faire les choses de façon plus recherchée. Vous identifiez, avant même que les choses commencent, les endroits où vous pouvez apporter des améliorations. Vous allez toujours de l'avant, les pieds sur terre, afin de créer un monde meilleur.

FONCEZ

Soyez direct. Agissez et améliorez le monde concret. Utilisez votre besoin compulsif de rechercher des solutions pratiques pour développer des méthodes encore meilleures pour améliorer les situations. Lorsque vous êtes dévoué à quelque chose, rien ne vous arrête. Vous devenez persévérant et conscient de chaque problème à aborder. Constater ce que vous avez accompli vous procure une grande satisfaction.

MAIS PRENEZ GARDE

Vous avez une capacité hors du commun à évaluer ce dont une situation ou une personne a besoin pour progresser. Votre vision des faits fait fonctionner les choses. Elle peut toutefois être perçue comme trop directe, et les autres peuvent vous trouver caustique. Ne vous en faites pas. Vos commentaires factuels sont précieux, même s'ils contrarient le *statu quo*. Restez concentré sur vos objectifs à long terme et recherchez des environnements qui vous laissent beaucoup d'autonomie.

CONSEILS RELATIONNELS

Pour comprendre votre énergie dans une relation, vous devez choisir une autre couleur achromatique. Préférez-vous le noir ou le blanc ? Après avoir choisi, allez à la page appropriée pour lire la section se rapportant à vos conseils relationnels personnalisés.

Si vous préférez le noir, vous êtes un bleu-violet-noir (*cf.* p. 76). Si vous préférez le blanc, vous êtes un bleu-violet-blanc (*cf.* p. 79).

CONSEILS PROFESSIONNELS

Vous avez une compréhension très réaliste de la façon d'accomplir le travail. Votre capacité à imaginer de nouvelles choses et de voir si elles fonctionnent vous donne l'apparence d'une personne foncièrement calme, analytique et axée sur les processus. Faire ce que vous voulez vous permet d'élaborer des projets à long terme.

Parmi les domaines que vous pouvez envisager, on peut citer la recherche scientifique, l'art dramatique, la gestion du contrôle de la qualité, le design de produits ou la cuisine gastronomique.

TOUT IRA BIEN SI...

... vous avez la liberté de faire ce qui vous plaît. Vos créations seront des célébrations personnelles.

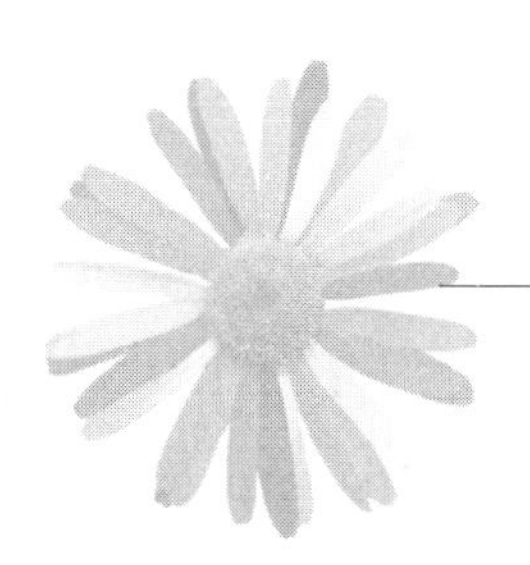

CHAPITRE NEUF

Bleu et orange

Les bâtisseurs

VOTRE PERCEPTION DE VOUS-MÊME

Vous exigez une vie trépidante, que vous créez grâce à votre double personnalité. Un jour, vous êtes le libre-penseur innovateur qui souhaite construire une nouvelle maison modulaire, et le suivant, vous changez de vitesse pour devenir un critique traditionnel qui se demande pourquoi quelqu'un entreprendrait une chose pareille. Vous êtes une énigme sociale.

Votre curiosité suscite toutes sortes de conversations. Vous adorez ça. Vous êtes le centre d'attraction dans les soirées. Vos amis sont des personnalités aux intérêts variés. Parfois, vous faites une pause et vous vous demandez pourquoi vous persistez à vous retrouver dans une telle folie. Mais au fond, vous savez qu'un environnement social trop bien établi peut restreindre l'épanouissement des gens.

Vous voulez croire que le monde a besoin de vous. Souvent, vous vous préoccupez à essayer de donner un sens à des situations sur lesquelles vous n'avez aucun contrôle. En fin de compte, vous vous sentez frustré et vidé sur le plan émotionnel. Vous devez prendre conscience que le monde ne sera jamais parfait. La tâche est trop lourde pour une seule personne, et vous vous rendrez compte que vous êtes plus efficace quand vous vous concentrez sur l'amélioration de votre entourage immédiat.

Si vous n'êtes pas dévoué à une cause, il vous est impossible d'être constructif. Lorsque vous vous trouvez dans une situation où vous ne pouvez pas vous donner à fond, passez à autre chose. Vous avez besoin de construire quelque chose, sans quoi vous vous sentirez déprimé.

Si vous préférez le bleu au orange, vous considérez d'abord la façon de construire quelque chose de nouveau, puis vous critiquez votre projet.

Si vous préférez l'orange au bleu, vous vous laissez facilement emporter par l'excitation du moment et vous oubliez vos projets.

VOTRE TYPE D'ÉNERGIE : COMMENT LES AUTRES VOUS PERÇOIVENT

Maintenant que vous avez lu la section « Votre perception de vous-même », ajoutez votre choix de couleur achromatique (noir, blanc ou marron) à vos choix de couleurs primaire et secondaire afin de déterminer votre type d'énergie et de comprendre comment les autres vous perçoivent.

> Lisez votre profil de type d'énergie avec un ami. Ses commentaires vous donneront sans doute une perception plus claire de vous-même. Gardez à l'esprit que nous ne sommes pas forcément la personne que nous croyons être.

Bleu, orange et noir : les gestionnaires

DÉCOUVREZ-VOUS

Vous dirigez vos pensées vers la construction de quelque chose de nouveau. Vous examinez constamment les expériences passées afin d'identifier ce qui était digne d'intérêt. Puis vous avisez tout le monde des actions à entreprendre et à éviter. Votre plus grande passion, c'est de maintenir les choses sur le droit chemin.

FONCEZ

Vous avez le don de poser des questions pertinentes qui vous aident, ainsi que les autres, à voir ce qui contribue à un objectif optimal. Vous êtes capable de jumeler les personnes et les ressources. Utilisez votre intuition aiguisée pour scruter ce qui est important, et vous serez capable d'accomplir toutes les tâches qui vous sont confiées. Vous avez un sens inné de la gestion.

MAIS PRENEZ GARDE

Ne laissez pas votre façon d'examiner rigoureusement les choses vous ralentir. Établissez des priorités dans vos projets d'avenir. Cela vous permettra de vous libérer du passé sans avoir à faire trop d'efforts. Les autres vous trouveront plus aimable et intéressant et ils s'ouvriront davantage à vous.

CONSEILS RELATIONNELS

Pour comprendre votre énergie dans une relation, vous devez choisir une autre couleur. Préférez-vous le jaune, le rouge, le vert ou le violet ? Après avoir choisi, allez à la page appropriée pour lire la section se rapportant à vos conseils relationnels personnalisés.

Si vous préférez le jaune, vous êtes un jaune-orange-noir (*cf.* p. 57). Si vous préférez le rouge, vous êtes un rouge-orange-noir (*cf.* p. 116). Si vous préférez le vert, vous êtes un bleu-vert-noir (*cf.* p. 66). Enfin, si vous préférez le violet, vous êtes un bleu-violet-noir (*cf.* p. 76).

CONSEILS PROFESSIONNELS

Vous dirigez un projet en tirant parti des commentaires des autres. Vos questions sincères inspirent le respect. Vous savez que l'engagement des autres est nécessaire pour développer quelque chose de nouveau. Les informations que vous récoltez vous permettent de mieux diriger les projets. Vous veillez à ce que les personnes qui se dévouent pour vous ou pour votre entreprise soient traitées avec respect. Lorsque vous êtes concentré, vous êtes un leader né.

Vous préférerez un environnement en mouvement, même si cela implique un certain stress, parce que vous aimez apprendre. En fait, la pression vous stimule. Les carrières ayant trait à la gestion de projets, la supervision de la mise en œuvre de changements, l'évaluation des valeurs et l'analyse des compétences sont celles qui vous conviennent le mieux.

TOUT IRA BIEN SI...

... vous ne vous laissez pas submerger par les souvenirs. Cela vous permettra d'avoir une vision de la façon de construire un avenir qui corresponde davantage à vos besoins émotionnels.

Bleu, orange et blanc: les enquêteurs sociaux

DÉCOUVREZ-VOUS

Vous apprenez en regardant les autres ou en analysant comment les choses sont faites. Lorsque vous regardez les gens, vous êtes attiré par leur énergie comme si vous regardiez la télévision. Vous envisagez la contribution de chacun vers un objectif commun. En examinant le point de vue des autres, vous voyez le fond véritable de leur motivation. C'est ainsi que vous ajustez régulièrement votre façon de mener votre vie.

FONCEZ

Servez-vous de votre flair pour examiner attentivement les raisons pour lesquelles vous ne parvenez pas à atteindre vos objectifs. Votre capacité à envisager les situations dans leurs moindres détails vous permet de voir des choses que personne d'autre ne pourrait imaginer. C'est votre plus grand talent. Vous pouvez lancer un projet ou présenter quelque chose de nouveau, critiquer pourquoi cela fonctionne ou non, puis proposer de nouvelles perspectives et solutions.

MAIS PRENEZ GARDE

Il vous est plus facile d'établir des objectifs et de les analyser pour votre carrière que pour votre vie privée. Vous préférez inventer vos propres activités plutôt que de vous faire dire quoi faire. Sans la liberté d'explorer vos passions, vous risquez de vous retrouver aux prises avec un cycle sans fin dans lequel vous doutez constamment de vous-même, ce qui est dangereux car, finalement, vous vous éloignerez de vos véritables besoins.

CONSEILS RELATIONNELS

Pour comprendre votre énergie dans une relation, vous devez choisir une autre couleur. Préférez-vous le jaune, le rouge, le vert ou le violet ? Après avoir choisi, allez à la page appropriée pour lire la section se rapportant à vos conseils relationnels personnalisés.

Si vous préférez le jaune, vous êtes un jaune-orange-blanc (*cf.* p. 59). Si vous préférez le rouge, vous êtes un rouge-orange-blanc (*cf.* p. 119). Si vous préférez le vert, vous êtes un bleu-vert-blanc (*cf.* p. 69). Enfin, si vous préférez le violet, vous êtes un bleu-violet-blanc (*cf.* p. 79).

CONSEILS PROFESSIONNELS

Vous avez le pouvoir de construire de nouvelles choses sur votre lieu de travail. Vous pouvez à la fois initier des changements et évaluer ce que vous avez créé. Sans faire aucun effort, vous êtes capable de décider comment diriger les ressources et les gens. Au départ, vos fortes convictions font fonctionner les choses. Si vous vous ennuyez ou que vous êtes distrait, toutefois, vous pouvez perdre votre capacité à mener les projets à terme avec succès.

Vos suggestions trouvent leur place dans des secteurs comme le tourisme d'accueil, le droit d'entreprises, la gestion des ressources et le recrutement.

TOUT IRA BIEN SI...

... vous ralentissez. Ne réfléchissez pas si vite. Ne mettez pas un terme à une conversation tant que ceux qui vous entourent n'ont pas eu leur mot à dire. Donnez-leur le temps d'assimiler tous les faits pour leur permettre de vous assister dans la réalisation d'un projet.

Bleu, orange et marron : les activistes

DÉCOUVREZ-VOUS

Vous êtes apprécié, généreux et affectueux. C'est peut-être parce que vous œuvrez pour un monde meilleur. Vous n'êtes pas qu'un beau parleur, vous êtes une personne d'action. Vous suscitez un sens du devoir et une certaine affection dans votre environnement social. L'activiste en vous rassemble les gens pour améliorer l'avenir. Vous avez la capacité de créer de l'espoir.

FONCEZ

Embrassez votre dévouement à changer le monde qui vous entoure. Vous êtes à votre meilleur lorsque vous accomplissez quelque chose que vous avez contribué à planifier. Vos solides convictions et votre approche pleine de bon sens ont raison de tous les obstacles. Ce style apaise les gens et leur permet également de croire en vous. Votre sensibilité lucide est rassurante.

MAIS PRENEZ GARDE

Lorsque vous êtes bouleversé ou sous pression, vous risquez de prendre la mauvaise décision, même si cela semble être la bonne sur le moment. Évitez de prendre des décisions irréfléchies. Prenez un moment pour vous détendre et vous divertir. Votre force intérieure reviendra. Sinon, vous finirez par trahir les convictions qui vous tiennent tant à cœur.

CONSEILS RELATIONNELS

Pour comprendre votre énergie dans une relation, vous devez choisir une autre couleur. Préférez-vous le jaune, le rouge, le vert ou le violet ? Si vous préférez le jaune, vous êtes un jaune-orange. Si vous préférez le rouge, vous êtes un rouge-orange. Si vous préférez le vert, vous êtes un bleu-vert. Enfin, si vous préférez le violet, vous êtes un bleu-violet.

Vous devez également choisir une autre couleur achromatique. Préférez-vous le noir ou le blanc ? Après avoir choisi, allez à la page appropriée pour lire la section se rapportant à vos conseils relationnels personnalisés.

Si vous préférez le noir, vous êtes un jaune-orange-noir (*cf.* p. 57), un rouge-orange-noir (*cf.* p 116), un bleu-vert-noir (*cf.* p. 66) ou un bleu-violet-noir (*cf.* p. 76). Si vous préférez le blanc, vous êtes un jaune-orange-blanc (*cf.* p. 59), un rouge-orange-blanc (*cf.* p. 119), un bleu-vert-blanc (*cf.* p. 69) ou un bleu-violet-blanc (*cf.* p. 79).

CONSEILS PROFESSIONNELS

Vous êtes à votre meilleur lorsque vous êtes concentré sur la construction de quelque chose. Les emplois qui vous permettent d'établir des spécifications directes et exactes, comme l'ingénierie, la construction, le développement de nouveaux programmes, d'entreprises ou de produits vous mettront au défi. Considérez également des emplois dans des domaines où vous pouvez vous distinguer, comme le travail social, le maintien de l'ordre ou la lutte contre les incendies. Vous avez besoin d'être impliqué dans de nombreuses activités visant à améliorer les services pour ceux qui vous entourent afin de vous sentir fier de vous.

TOUT IRA BIEN SI...

... vous résistez à la satisfaction immédiate. L'avenir que vous avez imaginé sera le vôtre.

CHAPITRE DIX

Rouge et vert

Les gestionnaires de ressources

VOTRE PERCEPTION DE VOUS-MÊME

Pratique et très présent, vous apprenez aux autres à accorder plus de valeur à leur vie. Vous n'êtes pas dupe. Vous avez une personnalité dynamique et vous connaissez exactement les intentions des autres. Vous avez un certain talent pour savoir ce qui est important. À l'instar d'un parent ou d'un professeur, vous vous souciez d'améliorer la vie des gens. Aider les autres stimule votre estime de vous-même.

Vous êtes à votre meilleur lorsque vous gérez l'utilisation des ressources. Au départ, vous êtes très présent, mais vous devenez très autoritaire, voire tyrannique. Il n'y a pas de juste milieu. Vous êtes soit l'un, soit l'autre. Cela peut perturber votre entourage. Les gens ne se rendent pas toujours compte que même lorsque vous êtes tyrannique, c'est dans leur intérêt.

Lorsque vous êtes bouleversé, sous pression ou en état d'ivresse, vous favorisez votre côté rouge expressif. Sans les effets apaisants du vert, votre comportement scandaleux peut vraiment choquer vos amis. Si vous préférez le rouge au vert, cette caractéristique est d'autant plus évidente. Si les autres agissent différemment avec vous pendant l'une de vos crises hautes en couleur, c'est parce qu'ils ont l'impression de ne pas vous connaître.

Si vous préférez le rouge au vert, vous considérez ce qui est nécessaire pour atteindre un objectif avant de penser aux autres. Cet attribut vous permet d'être direct et confiant.

Si vous préférez le vert au rouge, votre nature positive prend le dessus et vous dirigez dès le départ votre énergie vers les besoins des autres.

VOTRE TYPE D'ÉNERGIE : COMMENT LES AUTRES VOUS PERÇOIVENT

Maintenant que vous avez lu la section « Votre perception de vous-même », ajoutez votre choix de couleur achromatique (noir, blanc ou marron) à vos choix de couleurs primaire et secondaire afin de déterminer votre type d'énergie et de comprendre comment les autres vous perçoivent.

> Lisez votre profil de type d'énergie avec un ami. Ses commentaires vous donneront sans doute une perception plus claire de vous-même. Gardez à l'esprit que nous ne sommes pas forcément la personne que nous croyons être.

Rouge, vert et noir : les investisseurs

DÉCOUVREZ-VOUS

En vous concentrant sur les besoins des autres, vous apprenez la valeur et le potentiel exacts de chaque personne dans différentes situations. Vous savez instinctivement à quel point les autres sont motivés à vous soutenir. Cela vous aide à vous entourer des bonnes personnes.

Votre nature généreuse vous procure un sentiment de sécurité. Cela vous met à l'aise et vous avez l'impression d'être maître de votre vie. Vous savez qu'un avenir meilleur n'est possible qu'en misant sur les personnes qui vous respectent et sur les projets qui ont le potentiel de progresser de façon positive.

FONCEZ

Appréciez votre capacité à comprendre les réalités pratiques. C'est en étant sensible aux différentes façons dont les autres expriment leurs émotions que vous démontrez votre plus grand talent. Vous apprenez à discerner les situations favorables aux autres de celles qui ne le sont pas. En fait, vous percevez ce dont ils ont besoin même s'ils ne le savent pas eux-mêmes ; ils se sentent à l'aise en votre présence, même lorsqu'ils vous connaissent à peine.

MAIS PRENEZ GARDE

Lorsque vous êtes sous pression, vous êtes obsédé par les faits, vous vous préoccupez de choses sans importance et vous perdez de vue la situation d'ensemble. Vous devenez alors si sceptique que vous manquez de détachement et ne pensez qu'à des projets à court terme. Privé d'espoir en votre avenir, vous devenez trop critique envers vous-même et envers les différents aspects de votre vie. Les autres peuvent trouver que vous portez des jugements catégoriques. Lorsque vous essayez de résoudre un problème, adoptez une tactique impartiale qui sollicite davantage le respect et le soutien plutôt qu'une approche du « tout ou rien ».

CONSEILS RELATIONNELS

Pour comprendre votre énergie dans une relation, vous devez choisir une autre couleur. Préférez-vous le bleu, le jaune, le violet ou l'orange ? Après avoir fait votre choix, allez à la page appropriée pour lire la section se rapportant à vos conseils relationnels personnalisés.

Si vous préférez le bleu, vous êtes un bleu-vert-noir (*cf.* p. 66). Si vous préférez le jaune, vous êtes un jaune-vert-noir (*cf.* p. 36). Si vous préférez le violet, vous êtes un rouge-violet-noir (*cf.* p. 106). Enfin, si vous préférez l'orange, vous êtes un rouge-orange-noir (*cf.* p. 116).

CONSEILS PROFESSIONNELS

Appréciez votre capacité à déterminer à quel moment un soutien est nécessaire et à quel endroit il est préférable d'investir. Vous pouvez exceller dans des carrières qui mettent l'accent sur l'utilisation optimale des ressources.

Considérez des secteurs comme les finances, la comptabilité, les banques, l'industrie, la gestion budgétaire, la consultation, l'architecture, la vente d'un produit ou l'enseignement du développement personnel. Vous réussirez là où vous pouvez être très présent et direct.

TOUT IRA BIEN SI...

... vous savez que les gens reconnaissent votre gentillesse, votre sollicitude et ce que vous avez accompli. Vous trouverez le respect et l'estime de vous-même que vous recherchez.

Rouge, vert et blanc : les magiciens pratiques

DÉCOUVREZ-VOUS

Vous comprenez ce dont les gens ont besoin pour être plus pratiques dans leur vie. En gardant vos distances, vous êtes capable d'identifier les meilleures ressources disponibles. Vous cherchez constamment à mieux utiliser votre argent et à cultiver les talents. C'est ainsi qu'à votre grande surprise, les solutions semblent surgir de nulle part. Votre perspective objective et pratique peut transformer un désastre en un succès retentissant.

FONCEZ

Vous savez instinctivement quels sont les points de vue, les ressources et les approches nécessaires. Grâce à vos pensées et à vos considérations pratiques, vous faites le meilleur usage possible de ce que vous avez. Vous combinez les talents ou les informations pour atteindre vos objectifs. Servez-vous de votre capacité à évaluer les choses d'un œil critique pour générer des changements de taille dans la vie des gens. Ceux qui croient en vous auront de nouvelles possibilités.

MAIS PRENEZ GARDE

Vous envoyez des messages contradictoires. Si vous donnez parfois l'impression à une personne qu'elle compte à vos yeux, elle peut avoir l'impression de n'être qu'un numéro le moment suivant. Lorsque vous êtes absorbé dans la recherche de nouvelles options, les gens peuvent avoir l'impression que vous avez oublié qu'ils étaient là pour vous. Aidez-les à comprendre votre besoin de prendre un peu de recul pour résoudre les problèmes. De cette manière, ils resteront dans votre équipe pendant que vous analysez les faits.

CONSEILS RELATIONNELS

Pour comprendre votre énergie dans une relation, vous devez choisir une autre couleur. Préférez-vous le bleu, le jaune, le violet ou l'orange ? Après avoir fait votre choix, allez à la page appropriée pour lire la section se rapportant à vos conseils relationnels personnalisés.

Si vous préférez le bleu, vous êtes un bleu-vert-blanc (*cf.* p. 69). Si vous préférez le jaune, vous êtes un jaune-vert-blanc (*cf.* p. 39). Si vous préférez le violet, vous êtes un rouge-violet-blanc (*cf.* p. 109). Enfin, si vous préférez l'orange, vous êtes un rouge-orange-blanc (*cf.* p. 119).

CONSEILS PROFESSIONNELS

Votre perspective logique et positive est souvent en demande. Vous comprenez les prémisses sous-jacentes des choses et vous travaillez mieux lorsque vous êtes mis au défi par de nouveaux points de vue. Recherchez des environnements dans lesquels vous pouvez entrer en contact avec différents types de gens et de situations.

Les métiers qui impliquent la compilation de faits, comme la formation, le perfectionnement professionnel, l'organisation de tâches, la vérification ou le marketing vous permettront d'exprimer votre énergie.

TOUT IRA BIEN SI...

... vous reconnaissez la valeur du changement. Les nouvelles expériences contribuent à renforcer votre estime de vous-même et vous donnent la confiance de vous concentrer sur ce qui est bien dans votre vie.

Rouge, vert et marron: les croisés

DÉCOUVREZ-VOUS

Vous faites ressortir le meilleur des autres. Vous les aidez à accepter leurs limites et leurs capacités. En leur donnant une bonne dose de réalité, vous leur maintenez les pieds sur terre. Votre croisade est de développer la conscience de soi des autres et de transformer leurs rêves en réalité.

FONCEZ

Utilisez votre haut niveau d'énergie pour apporter de nombreuses améliorations au cours d'une journée. Une fois que vous savez ce que vous voulez, foncez ! Transformez les besoins quotidiens en causes à défendre. Vous pouvez être une véritable petite tornade. Lorsque vous dirigez votre énergie vers l'intérieur, vous êtes une tour toute-puissante. Lorsque vous dirigez cette énergie vers les autres, vous êtes un pourvoyeur. Quand vous la dirigez vers des objectifs, vous êtes un directeur pratique.

MAIS PRENEZ GARDE

Faites preuve de prudence quant à votre emploi du temps frénétique. Vous pouvez vous laisser tellement emporter par l'idée de soutenir les autres que vous vous surmenez sur les plans émotionnel et physique. L'excès de responsabilités finira par détruire votre passion et vous rendre enragé. Lorsque vous abîmez votre santé, vous pouvez devenir fainéant et vous sentir démoralisé. Permettez-vous des moments de détente. Cela rétablira votre énergie et vous aidera à vous remettre très vite, armé d'un esprit de dévouement renouvelé.

CONSEILS RELATIONNELS

Pour comprendre votre énergie dans une relation, vous devez choisir une autre couleur. Préférez-vous le jaune, le bleu, l'orange ou le violet ? Si vous préférez le jaune, vous êtes un jaune-vert. Si vous préférez le bleu, vous êtes un bleu-vert. Si vous préférez le violet, vous êtes un rouge-violet. Enfin, si vous préférez l'orange, vous êtes un rouge-orange.

Vous devez également choisir une autre couleur achromatique. Préférez-vous le noir ou le blanc ? Après avoir choisi, allez à la page appropriée pour lire la section se rapportant à vos conseils relationnels personnalisés.

Si vous préférez le noir, ajoutez cette nouvelle couleur à ce que vous avez choisi ci-dessus pour devenir soit un jaune-vert-noir (*cf.* p. 36), un bleu-vert-noir (*cf.* p. 66), un rouge-orange-noir (*cf.* p. 116) ou un rouge-violet-noir (*cf.* p. 106). Si vous préférez le blanc, vous pourriez devenir un jaune-vert-blanc (*cf.* p. 39), un bleu-vert blanc (*cf.* p. 69), un rouge-orange-blanc (*cf.* p. 119) ou un rouge-violet-blanc (*cf.* p. 109).

CONSEILS PROFESSIONNELS

Appréciez votre pouvoir et continuez à chercher ce dont ceux qui vous entourent et vous-même avez besoin pour réussir. Vous devez sentir que ce que vous faites fournit en quelque sorte des structures ou des outils de soutien aux autres. Les professions interactives dans le secteur médical, comme infirmier ou chirurgien, ou dans le domaine des ressources humaines, comme l'enseignement ou la gestion, vous aideront à mieux vous comprendre.

TOUT IRA BIEN SI...

... vous mettez de côté vos inquiétudes sur la vie et que vous vous contentez d'apprécier vos réalisations. Votre nouvelle conscience de vous-même renforcera votre confiance. Vous constaterez alors ce que vous représentez pour votre entourage.

CHAPITRE ONZE

Rouge et violet

Les synthétiseurs

VOTRE PERCEPTION DE VOUS-MÊME

Vous aimez intégrer les aspects factuels et émotionnels d'une situation. Après un événement, vous l'analysez, le dépouillez de ses absurdités, et vous rassemblez les gens pour arranger les choses. Les autres trouvent votre besoin d'ordre quelque peu protocolaire. Vous êtes à votre meilleur lorsque vous vous permettez de donner des conseils ou d'être direct. Avoir un rôle de soutien vous procure un sentiment de satisfaction.

Votre langage corporel attire les gens. Votre curiosité suscite l'action. Vous êtes sexy. La nouveauté peut vous stimuler et vous régénérer, mais elle peut aussi vous distraire et vous empêcher de terminer ce que vous devez faire. Ne vous éparpillez pas ; finissez les choses avant que votre passion ne diminue.

Vous avez besoin de savoir que les situations et les personnes sont bien ce qu'elles semblent être. Ce trait de caractère est particulièrement flagrant lorsque vous êtes de mauvaise humeur. Vous devenez très autoritaire avec votre environnement et vous avez tendance à ne voir que le côté négatif des choses. Vous devenez si sceptique et analytique que tout le monde est découragé. Vous avez besoin de synthétiser les sentiments et les actions de façon à obtenir un plan viable. Sans cela, la gestion de votre avenir vous semblera une épreuve.

Si vous préférez le rouge au violet, l'aboutissement d'un projet vous intéresse davantage que votre cote de popularité. Cependant, vous avez peut-être tendance à parler avant de réfléchir aux conséquences de ce que vous dites.

Si vous préférez le violet au rouge, vous vous souciez davantage des réactions des gens. Vous vous servez de votre charme et de votre ruse pour arriver à vos fins.

VOTRE TYPE D'ÉNERGIE : COMMENT LES AUTRES VOUS PERÇOIVENT

Maintenant que vous avez lu la section « Votre perception de vous-même », ajoutez votre choix achromatique (noir, blanc ou marron) à vos choix de couleurs primaire et secondaire afin de déterminer votre type d'énergie et de comprendre comment les autres vous perçoivent.

> Lisez votre profil de type d'énergie avec un ami. Ses commentaires vous donneront sans doute une perception plus claire de vous-même. Gardez à l'esprit que nous ne sommes pas forcément la personne que nous croyons être.

Rouge, violet et noir : les amuseurs

DÉCOUVREZ-VOUS

En faisant très attention aux émotions de chacun, vous avez une meilleure compréhension de vous-même et des autres. Votre énergie stimulante et pleine de sollicitude pousse les gens à s'exprimer. Lorsque les autres vous disent comment ils se sentent, vous percevez clairement leur gentillesse, leur amour, leur douleur et leurs peurs. Votre empathie les fait se sentir importants. Vous les captivez en leur donnant toute votre attention. Ne s'agit-il pas là des qualités de l'amuseur parfait?

Vous aidez les gens à se ressaisir. On vous repère facilement dans les soirées: vous êtes toujours entouré de gens qui vous font des confidences. Votre goût pour les questions de cœur alimente vos propres désirs.

FONCEZ

Utilisez votre source intarissable d'énergie pour faire de la vie de chacun une aventure. Montrez aux autres comment repartir à zéro en dépit des obstacles. Même quand les choses vont vraiment mal, vous êtes capable de les régénérer et d'y mettre un peu de piquant. Apprenez aux autres à ne pas avoir peur d'entreprendre quelque chose de nouveau ou de se réinventer. Racontez-leur vos nombreuses expériences. Lorsque vous êtes maître de la situation et que vous avez confiance en votre avenir, vous êtes une inspiration pour tous.

MAIS PRENEZ GARDE

Des interférences extérieures peuvent vous empêcher de vous plonger dans une réflexion profonde. Cela peut détruire votre capacité à établir des priorités. Ne laissez pas l'opinion des autres vous affaiblir. Ils n'ont tout simplement pas votre capacité à évaluer tous les problèmes. Exigez de l'autonomie et du temps pour mener à terme vos projets et vos recherches.

CONSEILS RELATIONNELS

Vous êtes sexy et séduisant. Vous obtenez ce que vous voulez. Mais lorsque l'amour se tarit, vous le sentez et vous passez à autre chose. Vous ne regardez pas en arrière.

Si le jaune est la couleur primaire que vous aimez le moins, vous accordez la priorité à votre vie amoureuse. Les problèmes surgissent lorsque vous vous investissez corps et âme à soutenir une personne qui ne vous apprécie ou ne vous respecte pas. C'est là que le bât blesse. C'est une grave erreur que de vous tenir pour acquis. Vous pouvez être rancunier. Mais en restant fâché, vous gaspillez votre temps précieux et vous rebutez les autres. Allez plutôt chercher votre bonheur ailleurs.

Si le bleu est la couleur primaire que vous aimez le moins, vous êtes conscient des nombreux aspects qui peuvent conduire à la réussite ou à l'échec d'une relation. Votre capacité à juger les gens avec justesse dès la première rencontre impressionne les autres et constitue votre plus grand talent. Toutefois, vous pouvez vous attirer des ennuis si vous vous laissez distraire par trop de pensées et d'informations.

CONSEILS PROFESSIONNELS

Votre environnement de travail idéal en est un dans lequel vous êtes maître de toutes les ressources dont vous avez besoin et en mesure de motiver les autres. Vous avez le pouvoir d'apaiser votre entourage en trouvant rapidement des solutions sans faire de reproches à qui que ce soit. Vous réfléchissez à des façons de faire les choses discrètement.

Vous comprenez l'importance d'écouter les préoccupations des autres. Vous êtes doué pour former une équipe. Les emplois dans les soins infirmiers, le recrutement, la politique, la religion ou le divertissement vous procureront un sentiment d'accomplissement. Vous pourriez même envisager d'être organisateur de congrès ou d'événements, adjoint administratif ou de diriger une entreprise pour laquelle vous pouvez établir toutes les pratiques de gestion.

TOUT IRA BIEN SI...

... vous cessez de réfléchir de façon excessive aux gens et aux situations. Vous retrouverez alors une meilleure compréhension de vos sentiments. Lorsque votre cœur vous guide, il est impossible de vous arrêter.

Rouge, violet et blanc : les prophètes

DÉCOUVREZ-VOUS

Vous ramenez toute chose à sa forme la plus élémentaire. Puis, vous faites la critique des événements passés afin de voir l'avenir. Les autres sont fascinés par vos prévisions. Vous êtes devin. Grâce à vos avertissements préventifs, vous veillez à ce que tout soit pris en considération. Les autres confondent votre capacité à interpréter les faits avec la réflexion intuitive.

FONCEZ

Vous avez une jugeote extraordinaire. Votre perspective génère de nouvelles possibilités. Vous veillez à ce que votre message soit entendu et vous avertissez les gens des conséquences auxquelles ils s'exposent s'ils ne revoient pas leurs attentes irréalistes. Votre respect pour les faits vous maintient, ainsi que les autres, dans la réalité.

Si vous n'êtes pas trop proche d'une situation ou d'une personne, vous avez presque toujours raison. Vous avez le pouvoir de montrer aux autres comment dépenser leur temps et leur énergie.

MAIS PRENEZ GARDE

Votre esprit critique peut limiter votre avenir et détruire vos meilleures idées, possibilités et passions. En analysant à l'excès, vous risquez de vous éparpiller. Vous êtes parfois assez extrême dans vos relations et vos projets.

Aussi, soyez ferme avec vous-même. Cela vous donnera la confiance et le courage de rester plus concentré sur vos objectifs et vous serez davantage en mesure de gérer votre avenir.

CONSEILS RELATIONNELS

Votre apparence et votre façon de vous habiller sont impeccables. Les autres se demandent même où se tapit le chaos en vous. Vous vous méfiez des autres tant que vous ne les connaissez pas bien. L'inconnu vous stimule. Cela peut vous faire peur, mais c'est ce qui est amusant.

Si le jaune est la couleur primaire que vous aimez le moins, vous avez une idée précise de la façon d'obtenir exactement le type de relation que vous recherchez. Vous pouvez également aider les autres en leur faisant part de vos connaissances sur le plan relationnel. Lorsque vous ne prenez pas le temps de développer une bonne relation, vous pouvez subitement vous retrouver impliqué dans un rapport que vous essayiez d'éviter.

Si le bleu est la couleur primaire que vous aimez le moins, vous savez de prime abord ce qui fonctionnera ou non. Vous pouvez parfois donner l'impression d'être un peu frivole dans vos relations. En réalité, vous essayez simplement de maintenir les rapports amusants et désinvoltes. Ce comportement est dû principalement à votre peur de l'engagement. Vous avez parfois tellement peur de répéter les erreurs du passé que vous cherchez des défauts chez les gens et vous trouvez alors que personne n'est à la hauteur de vos critères.

CONSEILS PROFESSIONNELS

Vous avez la capacité d'accomplir une tâche du premier coup. Vous êtes à votre meilleur lorsque vous conseillez les personnes qui sont en position de pouvoir. Le fait de dépenser énormément d'énergie dans tout ce que vous faites garantit votre succès.

Vous savez ce qui est nécessaire pour accomplir une tâche. Cela vous permet d'éliminer les étapes inutiles et de ne pas perdre de temps. Vous aimerez travailler avec des données, faire des prévisions sur l'avenir ou analyser exactement ce qui est réaliste ou applicable à chaque situation.

TOUT IRA BIEN SI...

... vous cessez de vous encombrer d'informations sur chacun et sur tout ce qui vous entoure. Vous vous remettrez alors sur pied.

Rouge, violet et marron : les générateurs

DÉCOUVREZ-VOUS

Votre sollicitude à l'égard de votre entourage attire l'attention où que vous soyez. Les autres vous voient comme un personnage curieux qui a besoin de tout savoir. Vous attirez constamment les possibilités ; les nouvelles personnes et situations vous stimulent. Vous avez le pouvoir de mettre un peu de piquant dans la vie des autres. Cela vous procure de l'énergie et de nouvelles perspectives qui vous aident à apprendre et à progresser.

FONCEZ

Observez. Repérez ce qui semble bon et reproduisez-le pour vous. Prenez des décisions pratiques pour les autres. Servez-vous de votre don pour définir ce qu'ils peuvent faire, même lorsqu'ils sont à la dérive et qu'ils ne savent pas quoi faire. Montrez aux gens comment s'attaquer à la réalité de leurs circonstances. Vous serez capable de trouver des solutions audacieuses aux problèmes.

MAIS PRENEZ GARDE

Vos projets et désirs grandioses peuvent brouiller votre jugement et vous empêcher d'accomplir ce que vous devez réellement faire. À un moment, vous voulez quelque chose ; le moment suivant, vous n'en êtes plus certain. Auriez-vous tendance à rendre les situations et les relations trop excitantes ? Quand votre vie semble trop intense, ralentissez un peu et reconsidérez les choses afin de ne pas vous retrouver à tourner en rond.

CONSEILS RELATIONNELS

Pour comprendre votre énergie dans une relation, vous devez choisir une autre couleur achromatique. Préférez-vous le noir ou le blanc ? Après avoir choisi, allez à la page appropriée pour lire la section se rapportant à vos conseils relationnels personnalisés.

Si vous préférez le noir, vous êtes un rouge-violet-noir (*cf.* p. 106). Si vous préférez le blanc, vous êtes un rouge-violet-blanc (*cf.* p. 109).

CONSEILS PROFESSIONNELS

Songez à des carrières qui vous permettent d'analyser votre environnement, de voir ce qui semble prometteur pour ensuite l'atteindre. Il vous est facile de vous définir à travers ce que vous faites. Vous réussissez bien dans des métiers où vous avez la possibilité de générer de l'enthousiasme pour un produit ou d'élaborer une meilleure façon de faire quelque chose. Vous pouvez utiliser les talents et les ressources avec des stratégies qui ne correspondent pas aux pratiques et aux attentes conventionnelles.

TOUT IRA BIEN SI...

... vous savez ce que vous voulez avant de déployer votre énergie pour l'obtenir.

CHAPITRE DOUZE

Rouge et orange

Les humanitaires

VOTRE PERCEPTION DE VOUS-MÊME

Vous honorez l'individualité. Vous prônez le cheminement personnel et le droit de dire ce que vous pensez sans avoir à vous excuser. Si quelqu'un dépasse les bornes, pas question de vous taire. Vous recherchez l'amour inconditionnel et vous caressez l'espoir de construire un environnement dans lequel les gens peuvent s'exprimer en toute liberté.

Vous préférez la compagnie intime de vos proches. Pour vous, « grand » ne rime pas forcément avec « mieux ». Les petites villes, les petites entreprises et les petits groupes d'amis vous offrent de plus grandes gratifications. Ils vous permettent de vous sentir plus apprécié. En effet, trop de préoccupations, d'environnements, d'amis, voire d'émotions, peuvent éliminer votre capacité à voir la vérité.

Vous percevez ce qui ne fonctionne pas chez les autres. Ensuite, qu'ils soient prêts ou non à l'entendre, vous le leur dites, ce qui peut décourager ceux qui manquent de confiance en eux. Les autres vous perçoivent comme une personne loyale et protectrice.

Sous une personnalité orientée vers l'action se cache votre côté sensible. Il s'agit d'un mécanisme de défense. Ouvrez-vous aux autres. Montrez votre vulnérabilité. Tout comme un aimant, vous attirerez l'amour et le respect que vous méritez.

Si vous préférez le rouge au orange, vous vous souciez davantage de votre capacité à apporter des changements positifs dans votre entourage que dans vos relations.

Si vous préférez le orange au rouge, vous êtes plus apte à être un médiateur et à arranger les choses pour l'intérêt commun.

VOTRE TYPE D'ÉNERGIE : COMMENT LES AUTRES VOUS PERÇOIVENT

Maintenant que vous avez lu la section « Votre perception de vous-même », ajoutez votre choix achromatique (noir, blanc ou marron) à vos choix de couleurs primaire et secondaire afin de déterminer votre type d'énergie et de comprendre comment les autres vous perçoivent.

> Lisez votre profil de type d'énergie avec un ami. Ses commentaires vous donneront sans doute une perception plus claire de vous-même. Gardez à l'esprit que nous ne sommes pas forcément la personne que nous croyons être.

Rouge, orange et noir : les consultants

DÉCOUVREZ-VOUS

Le cheminement vers la découverte de votre moi intérieur vous renvoie à vos expériences passées. Vous n'avez pas peur de considérer ce qui n'a pas fonctionné et de chercher de nouvelles réponses. En évaluant le passé, vous arrivez à mieux comprendre ce qui sera important pour vous à l'avenir. Ceux qui vous connaissent ont confiance en vous. Ils vous trouvent attachant.

FONCEZ

On attend de vous que vous fassiez démarrer les choses. C'est votre force, alors n'hésitez pas à l'utiliser. Appréciez la reconnaissance des autres, mais ne vous attendez pas à ce qu'ils fassent pour vous ce que vous avez fait pour eux. De toute façon, l'échange mutuel n'est pas réellement ce que vous recherchez. Être maître de la situation et accomplir des choses vous procurent suffisamment de satisfaction. Aussi, recherchez des situations dans lesquelles vous pouvez donner un coup de main.

MAIS PRENEZ GARDE

Évitez la sentimentalité et ne vous concentrez pas trop sur le passé. Lorsque vous étudiez constamment vos émotions, il vous est difficile d'être objectif. Vous perdez de vue ce dont vous avez besoin ou vous oubliez ceux qui se soucient le plus de vous. Privé de votre sens du dévouement, vous vous retrouverez vite dénué de spiritualité. Laissez les autres courir après leurs rêves. Vous devez vous occuper de vos affaires.

Donnez-vous la possibilité de réévaluer ce que vous possédez à l'heure actuelle. Faites de longues promenades ou prenez des vacances prolongées tout seul. La distance vous donnera une nouvelle perspective. Lorsque vous êtes trop proche de quelque chose, il vous est difficile de discerner qui ou quoi contribue à votre croissance personnelle.

CONSEILS RELATIONNELS

Quand vous savez ce que vous voulez, vous foncez tête baissée. Vos amis vous trouveront agréable, mais sur vos gardes. C'est que vous craignez d'être blessé.

Si le jaune est la couleur primaire que vous aimez le moins, vous avez le sens du dévouement. Les problèmes surgissent lorsque vous vous laissez emporter à aider les autres. Vous perdez votre capacité à discerner ce qu'il a de mieux pour vous. Vos relations peuvent en souffrir. Lorsque vous êtes bouleversé, vous semblez disparaître. Vous demandez-vous si ceux que vous aimez vous aiment aussi ?

Si le bleu est la couleur primaire que vous aimez le moins, vous trouvez le changement particulièrement difficile. Vous avez peur de vous engager auprès d'une nouvelle personne ou de changer ce que vous ressentez. Vous préférez rester en territoire connu, même si vous savez que ça ne fonctionne pas. Confrontez ces sentiments et vous ressentirez une paix authentique.

CONSEILS PROFESSIONNELS

Votre fidélité et votre engagement créent un lien très fort avec les gens et constituent la clé de votre succès. Vous savez repérer ce qui fonctionne ; rien n'échappe à votre regard pénétrant. Vous êtes un perfectionniste. Les personnes pour qui vous travaillez sont très importantes pour vous. Vous avez besoin de vous sentir indispensable. Vous sacrifiez vos exigences personnelles pour le bien de l'entreprise.

Les domaines dans lesquels vous pouvez aider les autres, comme la médecine, la puériculture ou la vente d'un produit ou d'un service, vous conviennent particulièrement bien.

TOUT IRA BIEN SI...

... vous laissez les choses suivre leur libre cours. Cela générera davantage de magie dans votre vie. N'ayez pas peur de perdre le contrôle. Votre vie sera ancrée dans le présent plutôt que d'être une répétition du passé.

Rouge, orange et blanc : les directeurs de ressources

DÉCOUVREZ-VOUS

Ce qui vous importe, c'est d'établir des priorités et de maximiser les bénéfices que vous pouvez retirer de la vie. Vous pouvez paraître direct et concentré sur les questions du moment, mais vous vous intéressez profondément aux dynamiques sous-jacentes aux différentes relations. Vous incitez les gens à regarder leur vie de plus près.

FONCEZ

Vous êtes conscient du fait que la réussite réside dans les détails. Vous savez comment transformer une bonne idée en excellente idée. Mais votre force ne s'arrête pas là. Visez haut. Créez de nouvelles options et de meilleures façons d'utiliser ce que vous avez déjà. Utilisez votre capacité à jumeler les ressources pour agrandir votre réseau.

MAIS PRENEZ GARDE

Vous jouez avez vos sentiments – souvent en les niant. Mais les sentiments ne peuvent pas être transformés en faits. Veillez à ne pas négliger ce que vous avez chéri dans le passé. Ne laissez pas les nouvelles possibilités vous troubler outre mesure. « Nouveau » n'est pas forcément synonyme de « meilleur ». Restez concentré ou votre cœur se videra.

CONSEILS RELATIONNELS

Vous êtes un partenaire plein de vivacité. Les nouvelles rencontres vous stimulent. Mais ne devenez pas une victime des excès. En fin de compte, c'est votre grand besoin d'intimité qui déterminera votre bonheur.

Si le jaune est la couleur primaire que vous aimez le moins, vous n'avez de cesse de mieux comprendre ce que vous ressentez. Vous créez des situations qui semblent stimuler vos émotions. Ne cherchez-vous pas plutôt à créer un drame dans lequel vous perdre ? Ne perdez pas de vue votre propre bonheur. Ralentissez un peu, et les autres verront votre moi authentique et aimable.

Si le bleu est la couleur primaire que vous aimez le moins, vous ressentez le besoin d'être dévoué à quelqu'un. Vous pouvez cacher ces sentiments aux autres, voire à vous-même. Cherchez-vous à éviter votre cœur ? Acceptez que les émotions ne relèvent pas de la logique. Elles viendront toujours perturber votre vie, et c'est une bonne chose. Engagez-vous à essayer de démontrer vos sentiments. Les autres vous verront comme un nounours.

CONSEILS PROFESSIONNELS

Choisissez des environnements de travail qui vous laissent une certaine liberté. Cette latitude augmentera votre concentration et votre productivité et permettra à vos supérieurs de vous apprécier à votre juste valeur. Cette reconnaissance de votre travail renforcera votre confiance en vous. Vous serez capable de vous régénérer et de devenir plus influent.

Montrez aux autres de meilleures façons d'utiliser les ressources. Les domaines dans lesquels vous pourriez vous distinguer sont notamment l'orientation professionnelle, la puériculture, le droit des brevets ou la technologie informatique.

TOUT IRA BIEN SI...

... vous laissez les autres voir votre côté émotif. Ils seront en mesure d'apprécier à leur juste valeur toutes vos préoccupations et de vous donner l'attention que vous méritez.

Rouge, orange et marron : les inspecteurs

DÉCOUVREZ-VOUS

Vous êtes très objectif. Sans hésitation aucune, vous savez instinctivement ce qui doit être fait et à qui demander de l'aide. À l'instar de Sherlock Holmes, vous découvrez régulièrement des indices qui vous aident à résoudre une énigme. Vous stimulez les gens en améliorant leur vie.

Votre dévouement pour les autres vous permet d'aller de l'avant, surtout lorsque vous défendez la veuve et l'orphelin. En vous battant pour leur cause, vous œuvrez également pour votre droit à être apprécié. Après tout, chacun a le droit d'être respecté pour ce qu'il fait.

FONCEZ

Profitez de votre franchise, car cela évite les absurdités et les malentendus. Vous vous préoccupez davantage des faits réels que de l'interprétation qu'en font les gens, et c'est ce qui fait de vous un si bon inspecteur. Rien n'échappe à votre regard perçant.

Votre sollicitude a un pouvoir de guérison. Vous donnez de vous-même sans rien attendre d'autre en retour qu'une appréciation honnête. Exprimez-vous en apportant aux autres une aide concrète ou un soutien moral. Vous renforcerez votre propre esprit.

MAIS PRENEZ GARDE

Vous avez parfois tellement peur qu'une situation tourne mal que vous n'appréciez pas ce qui va bien. À l'occasion, votre nature critique peut faire s'éclipser les personnes qui vous sont les plus chères ou entraver l'accomplissement d'une tâche qui est essentielle à votre réussite. Ralentissez un peu et contemplez les possibilités de votre avenir. Vous reprendrez de la vitesse plus tard, à un rythme encore plus excitant.

CONSEILS RELATIONNELS

Pour comprendre votre énergie dans une relation, vous devez choisir une autre couleur achromatique. Préférez-vous le noir ou le blanc ? Après avoir choisi, allez à la page appropriée pour lire la section se rapportant à vos conseils relationnels personnalisés.

Si vous préférez le noir, vous êtes un rouge-orange-noir (*cf.* p. 116). Si vous préférez le blanc, vous êtes un rouge-orange-blanc (*cf.* p. 119).

CONSEILS PROFESSIONNELS

Servez-vous de votre conscience des choses et des événements pour régler les problèmes. Grâce à votre talent naturel pour assembler les choses, vous saurez immédiatement ce qui fonctionnera ou non. Lorsque vous travaillez avec d'autres personnes, vous savez ce qu'elles veulent faire.

Envisagez des emplois qui vous donnent la possibilité de faire des choses par vous-même. Créer des environnements favorables vous procurera une grande joie et vous fera vous sentir apprécié pour ce que vous faites. Veillez à montrer votre côté humain. Ne laissez pas votre côté défensif obscurcir votre jugement.

TOUT IRA BIEN SI…

… vous libérez votre esprit des obligations. Et vous en avez beaucoup ! Vous aurez une meilleure compréhension de vos besoins sans être influencé par d'autres personnes.

TROISIÈME PARTIE

Découvrir votre vérité personnelle afin de simplifier votre vie

CHAPITRE TREIZE

Les couleurs primaires

Vos motivateurs de base

Ce que vous êtes parle si fort
que je n'entends pas ce que vous dites…

RALPH WALDO EMERSON

Le jaune, le bleu et le rouge sont les principales sources de votre énergie – l'essence qui alimente votre moteur. Les couleurs primaires indiquent qui vous êtes au sens le plus large. Le caractère direct des teintes fortes peut être énergisant ou imposant. Avant de commencer, réexaminez la couleur primaire que vous aimez le plus et celle que vous aimez le moins en page 17.

Dans ce chapitre, vous vous concentrerez sur la compréhension des forces qui vous animent. Cela vous permettra de canaliser vos passions afin de rendre votre vie plus agréable et riche.

Votre couleur primaire préférée détermine votre approche de la vie ; elle indique ce que vous avez l'impression de devoir accomplir pour être vous-même.

La couleur primaire que vous aimez le moins, en revanche, détermine ce que vous essayez d'éviter et de supprimer sur le plan émotionnel. C'est en confrontant ces préoccupations que vous aurez le pouvoir de rester sur la bonne voie et de ne pas laisser des éléments fortuits vous distraire de vos objectifs.

Les couleurs primaires représentent la source de toutes les autres couleurs. En respectant vos choix de couleurs primaires, celle que vous préférez et celle que vous aimez le moins, vous aurez la force d'alimenter votre moteur et de rester concentré sur vos principaux objectifs dans la vie. Le fait de concentrer vos efforts dans les domaines gratifiants de votre vie vous aidera à maintenir votre énergie et votre dynamisme. Les obstacles deviendront des détails insignifiants.

LE JAUNE EST VOTRE COULEUR PRÉFÉRÉE

> *Savoir, c'est pouvoir.*
> FRANCIS BACON

- Mots clés : réaliste, diplomate, généreux
- Pouvoir : sagesse de savoir ce qui est requis
- Motivation : croissance personnelle

Au-delà des mots

Trouver un terrain d'entente est un jeu dans lequel vous excellez. Vous apaisez les situations tendues, vous réconciliez les différences. Grâce à votre conscience de la perspective des autres, vous arrivez à exprimer des sentiments contraires et impopulaires sans offenser quiconque. En maintenant l'écoute des gens, vous établissez un espace de discussions qui permet d'envisager des solutions et des possibilités.

Dans les situations en tête-à-tête, vous arrivez à voir et à comprendre le point de vue de l'autre personne. Vous acceptez les besoins des autres sans leur imposer votre volonté ni vos intentions. Vous acceptez les gens tels qu'ils sont. Vous avez le don d'alimenter la conversation et de savoir précisément où diriger votre énergie. En groupe, vous faites bande à part ; contrairement à ceux qui préfèrent le bleu, vous conservez votre énergie.

Vous avez l'esprit d'équipe et vous appréciez les rôles de soutien – par exemple, vous seriez heureux comme bras droit d'un président. Vous êtes souple. Dans la mesure où vous n'êtes ni contrôlant ni assoiffé de pouvoir, vous êtes capable de vous concentrer sur le travail à accomplir. Vous êtes dans le présent ; vous ne vous attardez pas au passé et ne faites pas de projets d'avenir de façon obsessive. Vous avez tendance à être spirituel et réconfortant.

Vos principaux atouts

Vous appréciez les plaisirs simples de la vie et vous offrez également ce cadeau dans vos relations. Vous êtes à votre meilleur lorsque les gens de votre entourage ne portent pas de jugements et ne s'impatientent pas. Vous détestez la rigidité. Les autres vous stimulent lorsqu'ils attendent que tous les faits soient présentés avant de prendre une décision.

Vous êtes très généreux, disposé à vous donner sans rien attendre en retour. Toutefois, vous avez du mal à recevoir. Vous finissez par vous sentir déstabilisé, comme si vous auriez dû acquérir vous-même ce que l'on vous donne. Vos proches ont du mal à faire quelque chose de spécial pour vous.

Donnez, mais prenez aussi. Les autres se sentiront importants dans votre vie si vous les laissez vous soutenir. Il est préférable de montrer ses faiblesses aux autres ; sinon, vous vous retrouverez entouré de personnes qui profitent de vous.

Établir des priorités

Votre capacité à comprendre le point de vue de chacun est un outil précieux dans le monde du travail. Vous avez un talent pour approcher un client potentiel ou obtenir l'attention du patron pour lui soumettre une nouvelle idée. Contrairement à ceux qui préfèrent le rouge, vous êtes rarement trop direct.

Vous avez le pouvoir d'établir de nouvelles relations et de gravir les échelons de l'entreprise. Les gens savent à quoi s'en tenir avec vous, et ils sont disposés à vous laisser les aider. Vous êtes heureux lorsque vous pouvez donner de vous-même.

Pour vous, la réussite est synonyme de croissance et d'apprentissage. L'argent ne vous intéresse pas outre mesure. Vous préférez de loin vous consacrer à un poste dans lequel vous vous sentez bien que d'occuper un emploi plus lucratif que vous détestez. Prenez garde de ne pas vous éparpiller dans les différentes facettes des projets. Remémorez-vous constamment de considérer les choses dans leur ensemble.

À bien faire

Vous avez le pouvoir d'embrasser la beauté qui vous entoure et d'apprécier pleinement ce que la vie a à offrir. Faire partie intégrante du monde est la source de toute votre énergie. Vous vous épanouissez et appréciez le processus de la vie lorsque vous vous absorbez dans une tâche. Vous êtes à votre meilleur lorsque vous faites du shopping, que vous vous détendez ou que vous encouragez les autres à entendre tous les faits avant d'arrêter d'écouter.

À éviter

Lorsque vous faites des choses pour les autres afin d'éviter d'avoir à composer avec vos propres besoins, vous ne vous donnez ni le temps ni l'énergie de réfléchir à vos propres dilemmes. Plus vous êtes préoccupé, plus vous vous plongez dans les préoccupations des autres. En fin de compte, vous devenez trop docile et incapable de vous aider vous-même. Vos problèmes, bien sûr, ne disparaîtront pas tant que vous ne les aurez pas confrontés.

Créez de la passion

Découvrez les endroits qui permettent à votre charme fluide et agréable de toucher les gens. Évitez les environnements trop structurés et répressifs.

VOUS N'AIMEZ PAS LE JAUNE : VOUS ÊTES TRÈS DÉTERMINÉ

Lorsque vous voulez réellement quelque chose, les autres ont intérêt à ne pas rester dans votre chemin. Votre sens de la responsabilité et de l'urgence stimule votre entourage. Vous êtes un modèle de détermination. Vous pensez constamment « Je dois faire ceci ou cela. » Vous avez toujours une longueur d'avance sur les autres, ce qui vous donne le pouvoir de persuader votre entourage de croire en votre façon de faire les choses. En fin de compte, vous avez l'air de savoir ce que vous voulez, même lorsque vous n'en êtes pas certain.

Vos amis et vos amours passent parfois au second plan par rapport à un projet quelconque qui vous tient à cœur. Mais lorsque que vous avez rencontré une personne qui vous intéresse vraiment, elle vous obsède. Vous voulez tout et vous le voulez maintenant. Ne soyez pas aussi acharné. Acceptez les gens pour ce qu'ils sont et non pas pour ce que vous aimeriez qu'ils soient. Si vous arrêtez d'essayer de changer les gens, ils seront davantage en mesure de vous rendre l'amour que vous leur portez.

Au travail, vous êtes particulièrement concentré sur les résultats et vous avez une idée claire de l'objectif à atteindre. Si les choses traînent en longueur, vous vous impatientez. Vous avez un besoin constant d'accomplir quelque chose.

Votre première pensée, c'est: « Pourquoi n'est-ce pas déjà terminé ? » Lorsque votre sens de l'urgence prend le dessus, vous pouvez envoyer des messages destructeurs. Les autres peuvent vous percevoir comme une personne qui ne se soucie que du résultat final et non pas des gens. Vous en arrivez à faire les choses deux fois parce que parfois vous allez trop vite.

Ralentissez un peu; appréciez le processus de la vie. Avant d'entreprendre quelque chose de nouveau, prenez le temps d'apprécier les choses importantes que vous avez déjà accomplies. Vous vous sentirez davantage en accord avec le monde et moins isolé. Accomplir des choses n'est pas la mesure de la réussite. Reconnaissez qu'apprendre des choses est aussi une source de satisfaction.

LE BLEU EST VOTRE COULEUR PRÉFÉRÉE

Je rêve ma peinture, puis je peins mon rêve.

VINCENT VAN GOGH

- Mots clés : planificateur, instigateur, visionnaire
- Pouvoir : capacité à visualiser l'avenir
- Motivation : justifier votre existence

Au-delà des mots

Vous êtes un rêveur et un visionnaire – nostalgique, imaginatif et excentrique. Vous êtes préoccupé par l'avenir. Vos rêves vous procurent la discipline de vous concentrer et de rester sur la voie. Vous avez besoin de justifier votre existence en ayant un impact positif sur le monde, même sur les gens que vous ne connaissez pas.

Réfléchir à l'avenir vous donne de l'énergie. Mettre vos idées de l'avant et remodeler le monde sont les clés de votre bonheur. Vous êtes à la recherche d'un monde plus solidaire. Vous vous préoccupez de savoir que tout le monde est en accord. Vous avez besoin d'harmonie pour entreprendre des changements positifs.

Vous avez besoin de reconnaissance. Le bleu étant la plus idéaliste de toutes les couleurs, vous êtes souvent distrait par vos propres projets. À cause de vos sautes d'humeur, vous vous sentez abattu un jour, puis euphorique le lendemain. Trop de reconnaissance de la part des autres peut vous rendre vaniteux. Trop peu de cette reconnaissance peut finir par vous déprimer.

Vos principaux atouts

Vous voyez toujours le bon côté de chaque personne. Mettre les autres sur un piédestal vous procure de la satisfaction. Mais prenez garde : il est essentiel que votre jugement demeure réaliste. Une relation ne peut croître que lorsque vous avez une perception claire et entière des choses. Apprenez à voir le négatif et le positif. Toute personne possède les deux.

Lorsque vous rencontrez quelqu'un pour la première fois, prenez gare aux apparences. Ne soyez pas naïf. Si vous présumez que les gens sont ce qu'ils disent être, vous pouvez facilement être victime des escrocs. Assurez-vous d'apprécier les gens pour leurs actions et non pour leurs paroles. Cela vous évitera de vous faire flouer. Vous êtes particulièrement sensible à la flatterie. Si vous sentez que quelque chose doit changer ou que l'on vous trompe régulièrement, la prudence est de mise. Établissez des frontières qui vous protègent. Gardez votre pouvoir. Ne laissez pas quelqu'un devenir trop intime avant d'avoir pu constater ce qui se cache au-delà des apparences.

Établir des priorités

Votre capacité à visualiser vous aide à être proactif. Les gens qui préfèrent le bleu peuvent réparer les choses avant même qu'elles ne soient cassées ! Quand vous aimez votre travail, vous êtes déterminé à atteindre votre objectif, ce qui envoie un message à votre entourage que vous êtes parfaitement en contrôle de la situation. Vous êtes capable de rassembler une équipe. N'est-ce pas là la formule gagnante d'un bon départ ?

Vous avez besoin de travailler pour une entreprise qui vous apprécie. Lorsque l'on vous admire pour vos contributions, vous croyez en vous. Vous avez alors la confiance de comprendre les besoins de l'entreprise dans leur ensemble ou de concevoir quelque chose d'original.

Des changements d'objectifs peuvent provoquer une crise d'identité. Vous pouvez parfois être tellement attaché à vos objectifs que vous ignorez les bons conseils des autres. Interrogez ceux qui ne sont pas d'accord. Questionnez-les sur leurs préoccupations. Soyez ouvert. Le résultat final sera encore meilleur que ce que vous aviez imaginé au départ.

À bien faire

Quand vous vous concentrez sur la réalisation de vos rêves, vos idées sont tellement claires dans votre esprit que vous pouvez facilement les voir se produire. Cela vous donne l'assurance de réussir et la confiance de croire en vos objectifs. Les autres peuvent présumer que vous réussirez, même lorsque vous ne savez pas exactement quoi faire. Vous avez le pouvoir de façonner un avenir prometteur pour vous-même et pour les autres.

À éviter

Vous avez tendance à être trop rigide et à voir les choses comme étant bonnes ou mauvaises, comme ceci ou comme cela. Votre besoin de justifier pourquoi quelqu'un n'est pas d'accord avec vous vous empêche de voir les perspectives des autres. La réalité ne se montrera pas à la hauteur de vos attentes. Il faut vous y résoudre. Permettez aux autres d'exister tels qu'ils sont sans ressentir le besoin de les inclure ou de les exclure. Sinon, vos fausses perceptions continueront à vous compliquer la vie. Les autres peuvent vous percevoir comme ésotérique, voire étrange si vous êtes trop absorbé par vos pensées.

Créez de la passion

Acceptez les autres et les situations tels qu'ils sont, même s'ils ne correspondent pas à vos attentes. Vous serez satisfait de vous et davantage en mesure de créer un avenir radieux.

VOUS N'AIMEZ PAS LE BLEU : VOUS ÊTES UN BON CRITIQUE

Vous entrevoyez différentes façons de déchiffrer des situations, même lorsqu'il n'est pas acceptable de le faire. Vous savez comment catégoriser et identifier ce qui est le plus efficace. En excellent critique, vous êtes doué pour établir des normes et juger les personnes et les performances. Votre grand talent, c'est d'évaluer les contributions des autres.

Vous suivez souvent l'exemple d'une personne que vous admirez, tout en restant à l'affût d'un nouveau gourou ou d'un nouveau concept dans lequel vous pouvez vous plonger corps et âme. Lorsque vous êtes réellement enthousiaste, vous avez tendance à vous perdre dans vos intérêts. Vous devenez les personnages du livre que vous êtes en train de lire ou de votre émission de télé préférée. Puisque vous adoptez souvent de nouvelles idées et de nouveaux comportements, vous semblez parfois être branché.

Les engagements fermes vous posent problème. Il n'est pas facile « de vous passer la corde au cou ». Vous avez du mal à être confiant face à quelque chose que vous ne pouvez pas voir clairement. Vos amis et vos amours vous ressemblent souvent. Ils vous font vous sentir plus équilibré. Le fait de vous habiller comme eux, ou de vous assurer qu'ils s'habillent d'une certaine façon, peut également être une façon de vous sentir plus proche d'eux. Parfois, cependant, les autres peuvent se sentir rejetés parce qu'ils sont différents de vous.

Au travail, votre souci du détail vous permet de jongler avec plusieurs tâches à la fois. Toutefois, votre tendance à examiner l'information d'un œil critique peut être interprétée comme un manque de soutien de l'objectif principal ou comme un manque d'intérêt à faire partie de l'équipe. N'ayez pas l'air aussi détaché.

Vous vous parlez beaucoup à vous-même en vue d'intégrer vos côtés rationnel et émotionnel. Respectez ces deux aspects de votre personnalité. Le compromis est possible. Restez centré sur votre objectif principal et ne laissez pas les autres problèmes vous distraire. Une meilleure discipline mentale vous aidera à voir les choses dans leur ensemble et vous serez davantage en mesure de planifier votre avenir.

LE ROUGE EST VOTRE COULEUR PRÉFÉRÉE

Faites ce que vous pouvez,
avec ce que vous avez, là où vous êtes.

THEODORE ROOSEVELT

- Mots clés : pratique, plein de ressources, direct
- Pouvoir : capacité à utiliser les leçons apprises pour améliorer les choses
- Motivation : mieux contrôler votre monde

Au-delà des mots

Vous savez exactement ce que vous voulez. Si l'argent, le pouvoir et le statut vous procurent un sentiment de sécurité, en fin de compte, vous vous en servez comme moyen d'expression. C'est votre principal objectif. Vous n'êtes pas du genre à accumuler les richesses ; au contraire, vous donneriez votre chemise à ceux qui vous sont chers.

Vous êtes ambitieux, énergique, confiant et extraverti. Le rouge est une couleur exigeante, dominante, mais c'est aussi une couleur pratique. Contrairement à ceux qui préfèrent le bleu, vous ne souhaitez pas refaire le monde à votre image, vous préférez plutôt être responsable de l'amélioration des choses. Vous tolérez difficilement l'inefficacité.

Bien que votre style d'expression puisse vous faire paraître extravagant, vous êtes conservateur. Vous apprenez de vos expériences passées. Vous êtes plus réaliste que les personnes qui aiment le bleu, parce que vous avez moins besoin de validation et avez une meilleure notion de votre valeur.

Vos principaux atouts

Vous savez exactement qui vous êtes et ce que vous voulez. Vous avez besoin de vous exprimer pour exister, et vous formulez vos opinions avez assurance. Vous vous sentez en harmonie avec vous-même lorsque vous savez clairement où vous en êtes. Votre sollicitude pour les personnes importantes dans votre vie vous donne le pouvoir de vous concentrer sur ce que vous devez faire.

Vous avez besoin de contact physique pour vous sentir digne d'intérêt. Quand vous vous amusez, vous vous comportez comme un adolescent. Vous faites beaucoup de bruit et parlez de ce que font les autres. C'est particulièrement vrai avec des amis qui aiment aussi le rouge. Vous racontez des histoires sur vos expériences.

Lorsque vous êtes à l'aise dans votre environnement, vous êtes tellement extraverti et confiant que tout le monde sait que vous existez. Si vous êtes une femme, toutefois, vous pouvez être perçue comme une personne trop forte. Dans de nombreuses cultures, les femmes sont jugées à la façon dont elles participent à une conversation, aussi votre vivacité peut-elle être perçue comme trop directe ou comme un comportement inacceptable pour une femme. Si vous êtes une femme qui aimez le rouge, ayez conscience de ce qui est acceptable et de ce qui ne l'est pas. Ensuite, choisissez votre direction et exprimez-vous avec tact. Même si certains hommes vous trouvent difficile, ne vous faites pas de soucis. Assurez-vous seulement que l'homme envers lequel vous êtes engagée vous accepte telle que vous êtes. Sans quoi, son ego peut vous empêcher de vous exprimer ou il risque de fuir devant votre autoritarisme.

Établir des priorités

Votre approche pratique vous permet d'évaluer les choses et les personnes de votre entourage. Vous êtes à votre meilleur lorsque vous agissez dans l'intérêt des autres. Votre réflexion est cohérente et basée sur les faits. Vous aidez ceux qui vous entourent à reconnaître la réalité d'une situation, et vous les avisez lorsqu'ils ne sont pas pratiques. Vos opinions et observations les remettent dans le droit chemin. Vous êtes motivé par la possibilité de guider les autres.

L'argent est important pour vous. Vous avez besoin de savoir si vous allez recevoir votre part du gâteau. Après tout, l'argent peut être un moyen de reconnaître un travail bien fait et démontre que vous comptez aux yeux de votre employeur. L'accumulation de ressources est votre façon de prouver votre valeur personnelle. Vous prêchez la réussite à la première tentative, et vous êtes irrité lorsque les gens ne tiennent pas leurs promesses. Vous tolérez mal les attitudes nonchalantes ou le manque de dévouement au travail. Vous estimez que les récompenses se méritent. Si votre attitude devient trop évidente, vous pouvez vous faire une réputation de maître exigeant. D'autres vous verront comme un perfectionniste.

À bien faire

Exprimez-vous librement. Les choses fonctionnent mieux lorsque vous parlez sans retenue. Laissez libre cours à vos idées et à vos projets. Vous êtes à votre meilleur lorsque vous réorganisez tout et que vous faites en sorte que les choses fonctionnent. Lorsque les autres reconnaissent que vous avez des intentions et des attentes claires, ils vous respectent, vous ou ceux que vous protégez.

À éviter

Vous pouvez être trop direct et chercher à trop contrôler votre entourage. Les autres peuvent vous percevoir comme une personne trop conservatrice, limitée, trop centrée sur ce qui a fonctionné auparavant et peu disposée à envisager ce qui pourrait mieux fonctionner. Vous devenez alors négatif, vous prenez tout au pied de la lettre, et vous attendez des autres qu'ils soient aussi cohérents et rationnels que vous. Cela peut créer un environnement peu favorable aux changements positifs. Dans vos pires moments, vous êtes tyrannique. L'excès de pouvoir peut vous corrompre. Vous pouvez perdre de vue les autres et vous laisser emporter par votre ego.

Créez de la passion

Tempérez votre besoin d'évaluer constamment les situations et les actions des autres. Vous verrez en détail ce qui fonctionne pour vous.

VOUS N'AIMEZ PAS LE ROUGE : QUAND VOUS PARLEZ, ON VOUS ÉCOUTE

Vous analysez vos pensées avant de parler, ce qui vous permet d'exprimer clairement ce que vous ressentez. Par conséquent, lorsque vous parlez, on vous écoute. Vous pouvez être impulsif; vous pourriez vous surprendre à faire quelque chose que vous n'auriez jamais imaginé faire. Ce comportement se traduit parfois par des histoires que vous ne raconteriez à personne. Vos actes impulsifs sont les manifestations de sentiments et de désirs refoulés.

Vous êtes un bon confident. Les autres vous confient leurs plus grands secrets. Vous les faites se sentir importants à vos yeux. En fait, souvent, vous en entendez plus que vous ne le voudriez. Lorsque quelqu'un vous raconte quelque chose qui vous met mal à l'aise, vous ne le laissez pas paraître, même si vous êtes en train de vous dire : « Au secours ! Pourquoi me racontez-vous cela ? » Les gens continuent donc à vous parler. Vous entendez des détails et des histoires qui font sombrer les feuilletons mélo dans l'ennui.

Avec vos amis et amours, vos sentiments cachés créent un mystère. Ils vous rendent sexy. Votre curiosité a un certain magnétisme qui séduit le côté vulnérable des autres. Après qu'une relation ait commencé, l'autre personne peut se sentir frustrée si vous ne lui dites pas ce dont vous avez besoin. Enfant, sentiez-vous que si vous exprimiez ce que vous ressentiez, l'un de vos parents ou les deux désapprouveraient? Votre hésitation est-elle liée à cette peur? Sachez que lorsque vous exprimez vos besoins à ceux qui tiennent à vous, ils ne vous en aimeront que davantage.

Au travail, vous oubliez occasionnellement de définir les activités à effectuer, ce qui peut faire de vous un piètre gestionnaire. Soyez ferme. Définissez chaque tâche, devoir ou attente en détail, de sorte que vos collègues sachent exactement ce que vous voulez. Mettez les choses par écrit, et tenez-vous-y.

Si vous ne vous exprimez pas franchement dès le départ, les autres peuvent vous percevoir comme une personne lâche, faible ou politiquement neutre. Dites-leur simplement, sans émotion aucune: « Je vous donnerai des nouvelles quand je serai prêt. » Ils verront alors que vous avez les capacités stratégiques de dire la bonne chose au bon moment. Cette découverte ne fera qu'accroître leur respect pour vous.

OÙ VOUS SITUEZ-VOUS?

Combinez la couleur primaire que vous préférez et celle que vous aimez le moins afin de voir la force motivationnelle qui vous anime.

Vous aimez le jaune, mais pas le rouge

Vous êtes un modèle de sociabilité et vous avez un talent pour les situations sociales. Doué en relations publiques, vous avez le don de voir le point de vue de l'autre sans porter de jugement. C'est pour cette raison que les gens ont envie de vous faire confiance et de se confier à vous. Cela vous procure les faits véritables qui sont nécessaires pour prendre des décisions. Toutefois, ne laissez pas votre soutien aux autres s'immiscer dans votre propre avenir.

Vous aimez le jaune, mais pas le bleu

Qu'est-ce que certaines personnes et entreprises ne donneraient pas pour vous ! Vous avez l'étrange capacité de saisir rapidement les besoins de votre entourage. Souvent, vous pouvez trouver l'ingrédient manquant et transformer ce qui aurait pu être un échec en un succès retentissant. Ne perdez pas de vue la situation dans son ensemble et ne vous embourbez dans aucune tâche.

Vous aimez le bleu, mais pas le jaune

Vous êtes un stratège hors pair, capable d'élaborer des concepts d'avenir avec un style clair, net et imaginatif. Vous adorez la fantaisie. Toutefois, si vous vous lancez dans un projet avec enthousiasme, ce que vous croyez vouloir diffère souvent de ce dont vous avez réellement besoin. Soyez plus pragmatique, plus raisonnable. Admettez que le monde n'est pas parfait. Plus vous développerez rapidement des attentes plus réalistes, plus vous aurez de succès.

Vous aimez le bleu, mais pas le rouge

Vous voyez les possibilités et les limites de vos objectifs. C'est un don. Vous ne vous offusquez pas si votre avenir diffère sensiblement de ce que vous aviez imaginé. Vous maintenez fermement votre vision de l'endroit où vous voulez vous rendre. Veillez à communiquer clairement toutes vos attentes et vos souhaits, sinon vous trouverez peut-être que vous n'obtenez pas le respect ou le soutien dont vous avez besoin.

Vous aimez le rouge, mais pas le jaune

Vous êtes perfectionniste. Plus important encore, vous savez réparer ce qui ne fonctionne pas. Cependant, lorsque vous êtes surchargé, vous avez tendance à ne voir que les détails ou à les ignorer totalement. Les autres peuvent vous percevoir comme une personne rigide. Donnez-vous la chance de prendre un peu de recul et de réévaluer les choses. Il y a beaucoup d'autres façons que la vôtre d'accomplir une tâche.

Vous aimez le rouge, mais pas le bleu

Vous avez le don enviable d'être capable d'apprécier les situations bien mieux que quiconque dans votre entourage. Votre capacité à catégoriser les choses et à estimer leur valeur, toutefois, peut se perdre dans les détails d'une tâche. En restant concentré sur votre objectif général, vous n'aurez que plus de succès. Ne laissez pas votre concentration sur les détails vous faire perdre de vue votre avenir.

TOI ET MOI

Si votre ami, partenaire ou collègue a choisi…

… *la même couleur primaire préférée que celle que vous avez choisie,* il vous donne la confiance de croire en vous. Il vous motivera.

... une couleur primaire préférée différente de la vôtre, il vous permet d'entrevoir de nouvelles possibilités et vous apprend à être plus productif.

Un jaune avec un jaune

Vous vous autorisez mutuellement à voir vos pouvoirs de flexibilité. Vous créez un monde dans lequel les conversations tournent autour des choses plaisantes de la vie. Vos relations sont comme une mélodie. Ensemble, vous attirez sans effort des personnes qui vous apportent à tous deux de nouvelles sources de stimulation. Lorsque vous êtes en désaccord, vous changez tout simplement de sujet. Si vous laissez ce processus s'installer, votre relation s'affaiblit.

Un bleu avec un bleu

Vous demeurez centrés sur l'avenir. Vous parlez de vos projets. Vous voyez les souhaits de l'autre comme des réalités. Vous vous encouragez mutuellement à agir. Lorsque vous êtes en désaccord, la discussion est limitée au départ. Vous vous entêtez, vous êtes tous les deux persuadés d'avoir raison. Toutefois, après le désaccord initial, vous faites généralement des compromis parce que l'un comme l'autre vous n'aimez pas les conflits interpersonnels.

Un rouge avec un rouge

Vous inspectez toujours tout. Vous aimez parler des autres. Les mariages, les rencontres, les divorces et la sexualité sont vos sujets favoris. Vous voulez savoir comment les autres vivent leur vie, connaître tous les détails. Vous avez deviné ! Vous adorez tous deux les ragots. Cela vous donne de nouvelles perspectives sur la façon de vivre votre propre vie. Si l'un de vous ressasse ses problèmes, l'autre prend le dessus et devient autoritaire. Et là, c'est la pagaille monstre.

Un jaune avec un bleu

Vous vous aidez mutuellement à demeurer centrés sur votre relation. En tant que jaune, vous avertissez le bleu quand il perd contact avec la réalité en raisonnant de façon trop linéaire. En tant que bleu, vous dites au jaune comment mieux déterminer où va sa relation ou son contexte. Ensemble, vous êtes capables d'équilibrer les perspectives et les idées en maintenant leur pertinence.

En tant que jaune, vous apprenez au bleu à comprendre différentes perspectives et à apprécier la vie. Vous lui enseignez l'art de la flexibilité. Vous ouvrez aussi le monde du bleu à de nouvelles ressources. En l'aidant à être plus réaliste face à ses attentes, vous permettez au bleu de se sentir davantage gagnant. En cas de crise, vous avez l'impression que le bleu porte davantage attention à ses rêves qu'à la réalité.

En tant que bleu, vous aidez le jaune à mieux définir son avenir. Vous transformez sa perspective des faits en un plan structuré. Si vous admirez la flexibilité du jaune, vous devenez frustré lorsque vous sentez que les objectifs ne sont pas atteints. Vous pouvez voir sa flexibilité comme un signe de faiblesse ou un manque de direction. C'est là que le jaune se heurte à votre autoritarisme. Il a l'impression que vous tirez des conclusions hâtives au lieu de considérer l'ensemble de l'information.

Un jaune avec un rouge

Vous pouvez définir clairement les situations. En tant que jaune, vous mettez rapidement un terme à l'amour du rouge pour les ragots. En tant que rouge, vous maintenez le jaune centré sur les façons d'atteindre ses objectifs, ce qui l'aide à devenir plus responsable.

En tant que jaune, vous permettez au rouge de voir les limites de ses règles et de ses intentions. Vous le rendez plus flexible et davantage en mesure d'apprécier ce qu'il a et qui il est. Le rouge peut alors se détendre et se sentir moins restreint. En cas de crise, vous voyez le rouge comme trop négatif et trop structuré.

En tant que rouge, vous apprenez au jaune à être plus spécifique et centré sur la performance. Le jaune adore votre souci du détail. Lorsqu'il y a trop de règles, toutefois, le jaune se sent limité. En cas de crise, vous alimentez les frustrations du jaune en lui donnant des ordres et en n'écoutant pas son point de vue.

Un bleu avec un rouge

Vous pouvez accomplir n'importe quelle tâche. En tant que bleu, vous aidez le rouge à croire que les choses peuvent être meilleures. Vos rêves peuvent embellir la journée fastidieuse et orientée sur les tâches du rouge. D'un autre côté, en tant que rouge, votre souci du détail apprend au bleu comment faire fonctionner les choses. Grâce à votre « coupe-coupe », vous élaguez le superflu. Vous faites fonctionner les idées du bleu.

En tant que bleu, vous divertissez constamment le rouge avec vos idées. Vous encouragez le rouge, qui est plus axé sur les tâches, à rêver. En montrant au rouge comment moins se préoccuper des détails, vous lui ouvrez les yeux. Avec vous, l'avenir semble plus radieux. En cas de crise, votre ego risque d'être blessé. Vous dévalorisez alors les contributions du rouge, jugeant son apport comme étant négatif et non constructif.

En tant que rouge, vous forcez le bleu à exprimer ses besoins plus clairement. Vous lui apprenez à définir ce qu'il veut de façon à ce qu'il puisse réaliser ses idées. En forçant le bleu à confronter ses limites, vous l'aidez à reconnaître que le remaniement fait partie intégrante de la vie. Lorsque le bleu ignore votre apport, vous ne respectez plus sa contribution créative. Vous le considérez comme incompétent et inconscient des détails importants qui sont nécessaires pour compléter tout effort créatif.

VOTRE PRINCIPAL CENTRE D'INTÉRÊT

Si vous aimez également deux couleurs primaires, vous pouvez être perturbé par la suite des événements. Vous vous forcez à être plus que ce que vous êtes à l'heure actuelle. Les autres auront du mal à comprendre ce côté arrogant. En fait, c'est seulement votre façon de mieux comprendre ce que vous voulez.

Si vous avez une préférence pour les couleurs de la catégorie primaire en général, vous êtes de bonne compagnie. Les individus très influents et les membres de la royauté qui furent évalués préféraient également les couleurs de la catégorie primaire. Votre attitude altière vous donnera des airs de prince, de princesse ou de commandant en chef. Évitez de vous éterniser sur les questions sérieuses et révélez votre vulnérabilité, sans quoi vous vous sentirez seul.

Si vous n'aviez aucune préférence dans cette catégorie, vous traversez une crise professionnelle ou évitez de faire ce que vous voulez vraiment faire. Vous trouvez peut-être l'éclat de ces couleurs trop imposant. Donnez davantage d'orientation à votre vie.

Reconnaissez les conséquences que vous encourez en n'étant pas trop spécifique sur ce que vous devez faire.

Rire fort

Vous serez attiré par les personnes qui n'aiment pas la couleur primaire que vous préférez. Votre couleur préférée sera celle qu'elles aiment le moins. Ces personnes démontrent naturellement les qualités auxquelles vous aspirez. Parfois, en revanche, elles font ressortir les aspects les plus faibles, les plus désagréables de votre personnalité.

Ceux qui aiment la même couleur primaire que vous confirment votre sens d'identité. Ils rétablissent votre foi en vous. Toutefois, ils peuvent aussi être particulièrement exaspérants; dans la mesure où ils vous ressemblent, ils vous obligent à voir exactement ce que vous n'êtes pas. Si vous ressemblez beaucoup à un de vos parents, ou si un de vos enfants vous ressemble, vous connaissez très bien ce sentiment.

Laissez-moi vous faire part de ma couleur préférée, le bleu. Quand je discute avec des gens qui n'aiment pas le bleu, je me rends compte que leur point de vue est totalement différent du mien. Leurs questions me forcent à affronter ce que j'ai le plus peur de voir. Il m'est arrivé de rejeter leur précieuse perspective pour découvrir plus tard qu'ils avaient vu juste.

LE LANGAGE DES COULEURS PRIMAIRES

Le jaune absorbe la connaissance

Le jaune est la couleur la plus claire du spectre. C'est la quête d'une perspective plus réaliste qui générera de l'espoir et des lendemains plus gais. De la même manière, les gens qui aiment le jaune ont la capacité d'étudier les situations et les relations sans avoir d'idées préconçues. Les jaunes cherchent à comprendre le monde qui les entoure.

Le bleu est cohésif

Le bleu est la couleur la plus froide de notre atmosphère. De la même manière, les gens qui aiment le bleu sont capables de nier la chaleur et l'énergie naturelle du présent pour anticiper l'avenir. Tout comme l'eau, qui forme un lien chimique cohésif, ceux qui préfèrent le bleu rassemblent différentes entités pour former quelque chose de cohésif. Le bleu, ce sont les pensées basées sur l'avenir, ce sont les rêves que l'on entreprend.

Le rouge est dirigeant

Le rouge dirige le changement concret. Qu'il s'agisse de la lave en fusion au centre de la terre, d'un feu de forêt ou d'une bactérie dans un organisme, le rouge est l'agent du changement. De la même manière, les gens qui préfèrent le rouge améliorent constamment le *statu quo*. Le rouge, c'est diriger les ressources.

Quand vos couleurs primaires changent

D'une manière générale, la couleur primaire que vous préférez ne change pas après la vingtaine. Si vous remettez en cause vos objectifs dans la vie, elle peut changer jusqu'à ce que vous soyez mieux dans votre peau. La couleur primaire que vous aimez le moins est la dernière à changer. Si elle change, vous êtes probablement dans une période hautement réactive de votre vie.

Le questionnaire des couleurs primaires

Répondez par vrai ou faux*.

Le jaune est leur couleur primaire préférée

1. Au travail, ils représentent une menace.	V	F
2. Ils sont souples.	V	F

Le jaune est la couleur primaire qu'ils aiment le moins

3. Ils ont rarement besoin de faire les choses deux fois.	V	F
4. Ils sont parfois vraiment cons.	V	F

Le bleu est leur couleur primaire préférée

5. Ils vivent pour leurs rêves.	V	F
6. Ils sont réalistes en ce qui concerne leurs idées.	V	F

Le bleu est la couleur primaire qu'ils aiment le moins

7. Ils veulent se marier à tout prix.	V	F
8. Ils se parlent souvent à eux-mêmes.	V	F

Le rouge est leur couleur primaire préférée

9. Ils disent ce qu'ils pensent.	V	F
10. Ils ne parlent jamais des autres.	V	F

Le rouge est la couleur primaire qu'ils aiment le moins

11. Ils disent facilement comment ils se sentent.	V	F
12. Ils en savent beaucoup sur tout le monde.	V	F

* Réponses à la page suivante.

Réponses du questionnaire sur les couleurs primaires

Le jaune est leur couleur primaire préférée

1. F Ils sont aussi menaçants qu'un chiot.
2. V Ils sont si flexibles qu'ils peuvent devenir votre fantasme du moment.

Le jaune est la couleur primaire qu'ils aiment le moins

3. F Avec leur personnalité du style « plus vite que son ombre », ils peuvent facilement rater la première tentative.
4. V S'ils savent ce qu'ils veulent, mieux vaut vous ôter de leur chemin.

Le bleu est leur couleur primaire préférée

5. V Posez-leur des questions sur eux-mêmes, et préparez-vous à écouter pendant un bon moment.
6. F Y a-t-il de l'eau glacée en enfer ?

Le bleu est la couleur primaire qu'ils aiment le moins

7. F L'idée d'épouser quelqu'un les fait trembler.
8. V Ils sont leur propre meilleur ami.

Le rouge est leur couleur primaire préférée

9. V Comme Madonna ou Oprah Winfrey.
10. F Seulement s'ils portent une muselière !

Le rouge est la couleur primaire qu'ils aiment le moins

11. F Uniquement si on les y pousse, s'ils sont pompettes ou fâchés.
12. V Demandez-le-leur ; ils en savent sûrement beaucoup sur vous.

CHAPITRE QUATORZE

Les couleurs secondaires

Vos rapports avec les autres

Quand l'esprit réfléchit, il se parle à lui-même.

PLATON

Le vert, le violet et l'orange constituent la catégorie des couleurs secondaires. Elles déterminent votre façon de raisonner dans vos relations et de tisser des liens avec le monde qui vous entoure. Les vibrations harmoniques des couleurs secondaires peuvent être apaisantes ou irritantes. Le vert est l'enfant du jaune et du bleu, le violet, celui du bleu et du rouge, et l'orange, celui du rouge et du jaune. Avant de commencer, réexaminez la couleur secondaire que vous aimez le plus et celle que vous aimez le moins en page 17.

Dans ce chapitre, vous en apprendrez davantage sur la façon dont les autres affectent vos priorités, vos besoins, vos choix, vos échecs, votre performance au travail et vos contributions.

Votre couleur secondaire préférée révèle votre processus de pensée en matière de désirs, de besoins et d'objectifs. Elle évoque vos rapports avec les autres.

La couleur secondaire que vous aimez le moins représente vos besoins refoulés qui sont souvent ignorés. Elle symbolise votre façon émotionnelle de confronter vos pensées sur ce que vous attendez des autres.

Les couleurs secondaires traduisent le monde qui vous entoure en langage. Elles reflètent votre processus de pensée. Que considérez-vous en premier ? En dernier ? En lisant ce chapitre, prenez en considération les avantages et les désavantages de la façon dont vous accordez la priorité aux faits et aux sentiments. Le simple fait d'être conscient de votre pensée fera de vous une star.

LE VERT EST VOTRE COULEUR PRÉFÉRÉE

Les esprits les plus purs et les plus profonds sont ceux qui aiment le plus la couleur.
JOHN RUSKIN

- Mots clés : très présent, préoccupé, à l'aise
- Pouvoir : créer des environnements favorables
- Motivation : comprendre qui vous êtes et ce que vous voulez

Vos pensées

Vous êtes l'interlocuteur rêvé pour les autres lorsqu'ils ont besoin de parler de leurs problèmes. Ils interprètent votre sollicitude comme un encouragement à parler de leur vie. Ils sentent que vous êtes capable de voir au-delà des apparences et de comprendre réellement qui ils sont. À l'instar d'un sol fertile, vous nourrissez les gens de façon à ce que leurs rêves puissent grandir.

D'une manière générale, vous êtes ouvert au monde. D'ailleurs, il est fort probable que vous ayez aimé la plupart des couleurs du Système de couleurs Dewey ! Vous avez l'air innocent, mais votre curiosité fait de vous une personne cultivée.

Vous en savez beaucoup sur la vie, que ce soit grâce à vos propres activités ou pour avoir écouté les autres.

Ce qui vous fait vibrer

Vous comprenez les intentions véritables des gens. Lorsque vous parlez avec des gens que vous venez de rencontrer ou avec des amis ou des amants, vous faites passer leurs besoins avant les vôtres. Ce comportement vous permet de vous mettre à leur place et de voir comment ils se sentent intérieurement. Ensuite, vous prenez du recul pour voir clairement leurs intentions. Vous voyez les autres pour ce qu'ils sont réellement.

Vous êtes attiré par les personnes qui sont inspirantes sur le plan intellectuel. Pour vous, l'intelligence est excitante ; elle pique votre curiosité. Même lorsqu'il n'y a aucune attirance physique, vous êtes capable de maintenir une amitié. Cela peut déstabiliser la personne avec laquelle vous entrez en relation, parce que votre attirance initiale peut être mal interprétée.

Vous vous mariez ou vous engagez pour la sécurité. Cela peut se traduire par une maison avec des enfants, le besoin d'avoir beaucoup d'argent, qu'on s'occupe de vous ou tout simplement d'avoir une personnalité stabilisante dans votre vie. Parfois, les caractéristiques physiques ou intellectuelles de la personne que vous épousez suffisent à vous procurer ce sentiment de sécurité. Quelle qu'en soit la forme, ce besoin de sécurité est le facteur clé dans votre processus décisionnel.

Vos qualités

Vous avez l'esprit pratique et vous êtes fiable. Tout le monde apprécie votre soutien et l'environnement favorable que vous établissez. Vous êtes doué pour gérer les talents des autres ; en fait, vous excellez dans la gestion des ressources matérielles et financières.

Ces qualités vous permettent d'être à l'aise dans le domaine public, notamment dans des professions où il est question d'entretiens, de formation, de consultation psychologique ou de travail avec les enfants. Vous avez besoin de travailler pour une entreprise qui a des politiques d'emploi cohérentes, ce qui vous sécurise au sujet de votre avenir.

Votre besoin d'une carrière stable sera de plus en plus important avec l'âge. Si vos affaires pratiques ne sont pas en ordre, vous ne serez pas en paix. Vous avez besoin d'être discipliné et de travailler dur si vous voulez acquérir des biens matériels. Parmi les carrières qui augmenteront vos passions, on peut citer le domaine bancaire, l'investissement, les assurances, la gestion d'entreprise, la médecine ou la consultation.

La vie est fantastique quand…

… vous savez comment se sentent les autres et qu'ils s'occupent et se soucient de vous. Quand ils ont besoin de vous, vous êtes là. Vous avez une bonne capacité d'écoute et prodiguez de bons conseils pour résoudre les problèmes d'autrui. Votre sollicitude pour le bien-être des autres les rassure.

Les problèmes surviennent lorsque…

… vous questionnez votre identité. Vous pouvez vous sentir trop près de quelqu'un et lui reprocher sa dépendance. Vous commencez à vous éloigner et à être obsédé par vous-même au lieu d'être la personne positive que vous êtes normalement. Cela peut choquer ou bouleverser ceux qui comptent sur vous. Plus vous êtes confiant, moins ce comportement se produit.

Soyez une star

Acceptez votre sensibilité comme un don et non pas comme une faiblesse. Cela vous donnera la force de mieux vous occuper de vous-même et de ceux qui vous entourent. Entretenez votre sensibilité et vous progresserez.

VOUS N'AIMEZ PAS LE VERT : VOUS VOULEZ QU'ON S'OCCUPE DE VOUS

Vous recherchez la sollicitude en vous occupant des autres. Vous avez besoin de croire que votre amabilité à leur égard les rendra fidèles. Vous irez même jusqu'à sacrifier votre bonheur. Quand vous vous sentez bien, vous vous rappelez de vous occuper de vous. Quand vous ne vous sentez pas bien, vous avez tendance à vous négliger.

Votre nature indépendante vous permet de travailler longtemps sans demander d'aide. Vous vous sentez comme un explorateur. Vous allez aux extrêmes pour être certain que vos collègues et vos clients soient satisfaits. Vous vous préoccupez d'eux comme s'il s'agissait de vos enfants. À vrai dire, vous pouvez passer tellement de temps à vous occuper des autres que vous vous oubliez. N'essayez pas d'arranger les choses avant d'avoir entendu tous les faits d'une situation.

Quand vous êtes bouleversé, vous êtes frustré et à bout sur le plan émotionnel. Ce n'est que lorsque vous avez touché le fond que vous vous rendez compte de ce dont vous avez besoin et que vous dites aux autres exactement ce que vous voulez. C'est comme si vous attendiez des gens qu'ils comprennent instinctivement vos besoins. Comme un enfant, vous espérez que quelqu'un se souciera suffisamment de vous pour remarquer que vous voulez qu'on s'occupe aussi de vous. Pendant votre enfance, croyiez-vous que vous deviez endosser les responsabilités d'un adulte ? Deviez-vous apporter votre soutien à vos frères et sœurs ou être présent pour l'un de vos parents ? Aujourd'hui, quand vous demandez de l'aide, sentez-vous que cela signifie que vous êtes faible et impuissant ?

Demandez-vous chaque matin dès le réveil : « De quoi ai-je besoin aujourd'hui et qui m'aidera après que je leur aurai dit ce dont j'ai besoin ? » Ensuite, écoutez vos sentiments. Ne niez pas ce que vous voulez vraiment parce que vous vous préoccupez des autres. Dans votre cas, l'égoïsme serait une vertu. Votre entourage sera plus heureux si vous lui dites ce que vous voulez. Plus vous le proclamerez rapidement, plus vos relations et votre vie s'amélioreront.

LE VIOLET EST VOTRE COULEUR PRÉFÉRÉE

Penser, c'est se différencier.

Clarence Darrow

- Mots clés : déterminé, dramatique, stimulant
- Pouvoir : entrevoir de nouvelles possibilités, idées et stratégies
- Motivation : devenir davantage autonome

Vos pensées

Votre recherche de pouvoir personnel n'est certainement pas un secret. Vous êtes sérieux et réfléchi. Les autres vous perçoivent comme une personne pleine d'esprit, intelligente et fière, et ils ont raison. Vous avez beaucoup de volonté. Vous savez exactement ce que vous attendez des autres.

Dire que vous ne pouvez pas accomplir quelque chose, c'est supposer que vous n'avez pas de possibilités dans la vie. Les autres vous stimulent quand ils vous mettent au défi ; vous travaillez alors d'autant plus dur. Votre sens du drame attire les gens vers vous. Vous êtes un grand motivateur. Votre enthousiasme génère des possibilités infinies. Vous percevez dans les choses une signification qui échappe aux autres. Lorsque votre objectif est défini, vous êtes un leader et les gens sont disposés à vous suivre.

Ce qui vous fait vibrer

Vous êtes attiré par l'énergie d'une personne. Vous ne savez pas vraiment pourquoi, mais vous l'êtes. Votre décision de vous marier, en revanche, est basée sur l'apparence physique, un regard spécial qui attire votre attention. Vous pouvez sentir, par exemple, qu'une personne était tout simplement « trop mignonne » pour que vous la laissiez passer. Vous avez du mal à nier cette attirance lorsque ce regard spécial est évident.

Vous prenez les relations au sérieux. Vous êtes fidèle, mais vous vous méfiez de la formation de nouveaux liens, ce qui est parfois à votre détriment. Au lieu de croquer dans la vie, vous prenez du recul, résistant à ce que vous savez être juste, vous analysant comme si vous écriviez un livre. Vous remettez vos besoins à plus tard, mais ce plus tard ne vient jamais.

Vous vous protégez en vous retirant émotionnellement. Si vous ne jouez pas le jeu, vous ne pouvez évidemment pas souffrir. Vous pouvez soudainement vous rendre compte que votre ami ou amant est devenu distant sur le plan émotionnel ou même qu'il est parti. En niant ce dont vous aviez réellement besoin, vous l'avait fait se sentir sans importance à vos yeux.

Vos qualités

Votre facilité à trouver de nouvelles idées et façons de faire les choses est connue de tous. Vous salivez en pensant à un défi mental, ce qui vous rend très à l'aise dans le monde des affaires. Construire quelque chose de nouveau est très excitant pour vous, car cela vous permet de voir votre propre potentiel. Vous adorez participer au développement d'un projet. En fait, vous ferez part de votre idée même si on ne vous le demande pas.

Votre sens du dramatique aide à motiver votre entourage. Vous encouragez le potentiel d'autrui. Votre langage direct peut toutefois vous attirer beaucoup d'ennuis, et parfois les gens n'entendront pas votre message correctement. Si vous exagérez les faits, les autres auront moins confiance en ce que vous dites.

La vie est fantastique quand…

… vous vous penchez sur la cause des choses et que vous analysez toutes les possibilités. Vous êtes le premier à vous exprimer, même lorsque personne d'autre ne le fait, et à prendre position contre la foule. Déterminé ? Certainement ! Personne ne vous fait obstacle. Vous avez la capacité de faire ce que votre entourage dit que vous ne pouvez pas faire.

Les problèmes surviennent lorsque…

… vous présumez des choses qui n'ont rien à voir avec le comportement d'une personne. Ressasser ce qui devrait être ou aurait pu être peut conduire à de grandes déceptions. Vous pouvez vous retrouver prisonnier de l'analyse de vos expériences passées. Ce n'est pas à vous de dire pourquoi telle personne a fait telle chose. Ce raisonnement projectif peut même vous rendre loyal envers une personne qui ne le mérite pas.

Vos présomptions peuvent vous rendre la tâche difficile lorsque vous essayez d'établir des priorités. Doutez de vous-même lorsque vous prétendez être trop charitable ou que vous vous sentez blessé. Vous facilitez la vie de votre entourage lorsque vous exprimez vos volontés au lieu de les justifier. Soyez particulièrement prudent lorsque vous présumez avoir changé. Les petits efforts ne suffisent pas. Vous devez affronter les problèmes qu'exige le changement véritable.

Soyez une star

La sagesse s'acquiert au fil des expériences de la vie. Le fait de présumer constamment de ce qui va arriver ne fait qu'éliminer des possibilités et diminuer votre passion. Laissez chaque situation se dérouler d'elle-même.

VOUS N'AIMEZ PAS LE VIOLET : VOUS ÊTES LOGIQUE

Les faits passent avant les sentiments. Vous négligez les émotions afin d'obtenir une vision plus précise des gens et des situations qui vous entourent. Vous réalisez clairement lorsqu'une relation ne fonctionne pas et vous pouvez y mettre un terme sans grand gaspillage d'énergie. Vous avez le don de savoir en quoi ne pas croire. Vous choisissez vos amis et amants de façon très objective. Vous avez des amitiés de très longue date. Pour vous, perdre un ami, c'est presque comme perdre des souvenirs.

Au travail, vous avez la réputation d'être très méthodique. Cela vous permet de composer avec une situation chargée en émotions et de rester concentré. Vous n'évaluez que les faits pertinents, puis vous établissez des priorités.

Lorsque vous êtes bouleversé, vous cessez de communiquer. Vous vivez un épuisement mental. Vous vous retrouvez subitement face à toutes vos peurs cachées. Les sentiments du passé profondément enfouis ne sont peut-être même pas reliés aux problèmes actuels. Toutefois, ils subsistent et peuvent vous empêcher de savoir comment vous vous sentez dans le présent. Durant ces périodes de crise, votre confiance dans les autres décroît. Vous ne misez pas sur l'avenir et n'encouragez pas les autres à croire en eux-mêmes.

Vous rendez parfois la tâche difficile aux êtres qui vous sont chers de se confier à vous. Cela peut mener à un ressentiment refoulé, les poussant à exploser. Puisque vous ne vous confrontez pas à ce que vous n'êtes pas, votre entourage ne le fait pas non plus. Cela génère un manque de communication et se traduira par des situations où tout va bien alors que l'instant suivant, c'est le désastre.

Vous oubliez facilement les choses parce que vous avez une mémoire plutôt sélective. Vous ne laissez pas vos émotions altérer votre raisonnement. Vous avez tendance à oublier vos rêves ; vous craignez que si vous vous en souvenez, la crainte de savoir ce qui se trouve à l'intérieur se manifestera.

LE ORANGE EST VOTRE COULEUR PRÉFÉRÉE

> *On juge un homme en fonction*
> *de ce qu'il fait et non de ce qu'il dit.*
> ARISTOTE

- Mots clés : hardi, sentimental, dévoué
- Pouvoir : réaliser le changement sans perturbations
- Motivation : découvrir comment les choses sont faites

Vos pensées

Vous êtes dévoué à votre travail, à vos passe-temps, à vos amis et à votre famille. Votre vision réaliste du monde vous permet d'identifier ce qui n'est pas important. Vous êtes une personne d'action et vous comprenez qu'il faut casser des œufs pour faire une omelette. Vous savez repérer les éléments concrets qui ne fonctionnent pas. La détermination du rouge étant tempérée par la conscience du jaune, vous êtes capable d'accomplir des choses sans froisser les gens.

Vous êtes très sentimental. Avec l'âge, vous aurez tendance à parler davantage du passé. Si vous avez des enfants et des petits-enfants, ils recevront beaucoup d'affection de votre part. Vous êtes le premier à montrer des photos. Vous prenez plaisir à placer des photos de ceux que vous aimez dans toute la maison. Vous pensez constamment à ceux que vous aimez.

Vous aimez les activités physiques. Conduire des voitures sport, faire du sport et réparer des choses figurent parmi les passe-temps susceptibles de vous plaire. Vous êtes fier de ce que vous avez et vous entretenez vos biens matériels. Vous approchez la vie de façon audacieuse.

Ce qui vous fait vibrer

Tout le monde vous aime. Vous avez du charisme, vous êtes très sympathique, affectueux et prenez volontiers les gens dans vos bras. Après tout, l'orange est la couleur la plus chaude de notre atmosphère. Vous faites généralement un tabac dans les soirées. Vous avez beaucoup d'amis. Vous avez besoin de toucher les autres pour savoir de quoi ils sont faits. Le fait de toucher vous donne la capacité de voir la vérité dans les situations et les relations. C'est votre façon de montrer aux autres que vous les écoutez et que vous vous souciez d'eux. Vous construisez des relations avec les gens qui peuvent vous apprendre des choses.

De prime abord, vous cachez votre sensibilité. Vous avez tout simplement peur de montrer votre côté vulnérable. Vos défenses sont tout ce que les gens voient. Ils peuvent même croire que vous êtes en quelque sorte protocolaire ou traditionnel.

Vous êtes attiré dans une relation par l'apparence d'une personne. Votre décision de vous marier, en revanche, est basée sur l'intellect. Vous vous dévouez à une personne intelligente, et vous vous mariez généralement pour la vie.

Vos qualités

Vous êtes un employé très loyal qui croit en ce qu'il fait et en son employeur. Vous êtes la personne qui vante les mérites de son entreprise. Lorsque votre employeur ne vous démontre pas son appréciation en vous faisant confiance et en vous appuyant, vous lui retirez vite votre loyauté. Vous avez la capacité d'éliminer ce qui n'est pas important pour vous sans déployer trop d'énergie.

Vous exposez le travail à accomplir avec détachement. Vos collègues vous respectent pour votre logique. Même lorsqu'ils ne sont pas d'accord avec vous, ils ne se sentent jamais attaqués sur le plan personnel ou dans leurs positions. Après tout, vous êtes la personne qui a généralement un objectif clair et pratique en tête avant de commencer un nouveau projet. Vous travaillez encore mieux lorsqu'il y une interaction sociale constante. Vous êtes particulièrement stimulé quand on a besoin de vous. Le chaos n'est pas un problème : vous aimez chercher des solutions et accomplir avec brio des tâches difficiles.

La vie est fantastique quand…

… vous êtes dévoué. En posant audacieusement des questions que les autres évitent, vous comprenez comment les choses sont faites ou comment les situations se sont produites. Cela vous permet d'apporter des changements sans déranger le *statu quo*. En agissant avec logique et détachement, vous aidez les autres à prendre conscience de la vérité. C'est votre plus grand talent. Vous rendez les changements moins douloureux.

Les problèmes surviennent lorsque...

... quelqu'un est critique à l'égard de ce que vous avez fait ou de ce que vous auriez dû faire. Vous vous mettez alors sur la défensive. Vous prenez la critique comme une attaque personnelle et vous avez l'impression que votre dévouement est remis en cause. Vous perdez votre objectivité. Ne faites pas tant d'histoires. Personne ne remet en question votre sollicitude ni vos efforts. Vous vous préoccupez des autres et en faites plus que vous ne devriez en faire.

Soyez une star

Protégez-vous en vous dévouant à une personne qui vous est aussi dévouée. La loyauté envers la bonne personne ou la bonne position vous rassure et par conséquent vous fait réussir.

VOUS N'AIMEZ PAS LE ORANGE : VOUS ÊTES OUVERT AU MONDE

Quand vous vous sentez bien, votre approche candide face à la vie peut charmer même les plus blasés. Les autres vous perçoivent comme quelqu'un d'attentionné et de gentil. Quand vous ne vous sentez pas bien, vous vous méfiez de vous-même ou vous blâmez les autres. Votre monde devient amer et solitaire.

Au début, lorsque vous rencontrez quelqu'un, vous êtes soit trop sérieux, soit pas assez. Il n'y a pas de juste milieu. Cela peut vous empêcher de trouver la relation qu'il vous faut. En étant trop sérieux, vous cachez votre côté amusant, et en étant trop insouciant, vous pouvez donner l'impression de ne pas être sincère.

Au travail, vous avez le don de toujours satisfaire vos clients et collègues. Vous êtes soucieux des autres, prévenant et travaillant. Plaire aux autres vous motive. Le revers de la médaille, c'est que votre désir de plaire peut vous pousser à proposer des dates de remise d'information qui ne sont pas réalistes. Vous perdez parfois de vue les réalités pratiques du temps qu'il faut pour accomplir une tâche. Vous êtes alors forcé de mettre les bouchées doubles, au point de vous épuiser physiquement, voire de tomber malade. Bien sûr, vous pouvez abattre beaucoup de travail, mais le jeu en vaut-il réellement la chandelle ?

Cessez de céder à des attentes qui ne sont pas réalistes. Avant de vous attendre à quelque chose des autres ou de vous engager à faire quelque chose, posez davantage de questions. Vous pourrez ainsi voir les désirs sous-jacents des autres. Acceptez le fait que les gens font ce qu'ils veulent de toutes façons. Et vous, ne faites-vous pas ce que vous avez réellement besoin de faire ?

Évaluez vos sentiments. Fixez-vous comme objectif d'éliminer les choses que vous ne voulez pas faire et les personnes dont vous n'appréciez pas la compagnie. C'est seulement alors que vous prendrez conscience de qui et de quoi vous avez besoin.

TROUVER VOTRE CRÉNEAU

La combinaison de votre couleur secondaire préférée et de celle que vous aimez le moins symbolise vos rapports avec les autres.

Vous aimez le vert, vous n'aimez pas le violet

Vous êtes à l'affût des informations, et non pas des émotions. Votre logique sans faille vous donne la capacité d'apaiser votre entourage. Vous donnez aux autres le pouvoir de prioriser les faits, et non pas les sentiments. Votre dilemme dans la vie, c'est de vous sentir à l'aise avec vos émotions. Vous les occultez avant même de les ressentir. En ne vous concentrant que sur l'aspect factuel des choses, vous anéantissez les expériences humaines que vous devez vivre pour en savoir davantage sur vous.

Vous aimez le vert, vous n'aimez pas l'orange

Dans la mesure où les gens lisent en vous comme dans un livre ouvert, vous écoutez souvent leurs conseils. Vous pouvez facilement créer des liens avec une personne, mais vous devez apprendre à donner de vous-même sans vous perdre. À un moment, vous vous préoccupez de vos propres besoins, et le moment suivant, vous faites une fixation sur les autres. Quand vous aurez le courage de vous dissocier des attentes que vous avez envers vous-même pour voir la vérité d'une situation, vous aurez une meilleure connaissance de vous–même.

Vous aimez le violet, vous n'aimez pas le vert

Vous encouragez les gens à donner le meilleur d'eux-mêmes. Le fait de vous préoccuper d'eux vous inspire et vous fait mieux comprendre votre propre pouvoir. Si vous avez l'impression de répéter vos expressions avant même de les dire, prenez garde. Vos demandes sont plus en fonction de vos propres besoins qu'en fonction de ce que l'autre personne est prête à donner. Vous attendez-vous à pouvoir mieux contrôler une personne si vous êtes très gentil avec elle ? Ne vous laissez pas envahir par les problèmes des autres. Acceptez le fait que votre environnement et la façon dont les autres se sentent sont des aspects qui ne sont pas en fonction de vous et vous comprendrez ainsi votre puissance.

Vous aimez le violet, vous n'aimez pas l'orange

Vous observez à quel point les autres arrivent à mieux comprendre vos désirs. Lorsque vous vous souciez des autres, vous vivez leur passion. Cela vous permet de mieux définir ce qui vous plaît. Votre enthousiasme déchaîne alors votre propre passion, et vous entreprenez de nouveaux projets. Il vous faut toutefois écouter votre voix intérieure pour savoir ce à quoi vous vous attendez des autres avant de vous lancer à la recherche de possibilités passionnantes, sans quoi vous serez frustré. Vos attentes particulièrement grandes peuvent vous rendre méfiant quand les choses tournent mal. Vous commencez alors à vous plaindre de la façon dont on vous a laissé tomber dans le passé.

Vous aimez l'orange, vous n'aimez pas le violet

Vous vous préoccupez beaucoup des autres, mais parfois vous vous cachez à vous-même les sentiments que vous nourrissez à leur égard. Vous avez d'excellentes capacités d'analyse et vous savez distinguer ce qui est important de ce qui ne l'est pas. Au travail, cette qualité vous sert ; dans l'intimité, cela peut être un désastre. Votre dilemme dans la vie, c'est de veiller à ce que vos émotions profondément enfouies ne soient pas réduites à néant par votre logique. Donnez-vous la possibilité de sentir tout l'amour que vous avez en vous, sans quoi vous pouvez devenir amer et détruire votre essence même.

Vous aimez l'orange, vous n'aimez pas le vert

Votre dévouement pour votre travail et pour ceux que vous aimez est sans bornes. Il n'y a rien que vous ne feriez pas pour que les choses s'arrangent. Lorsque vous sentez que vous n'êtes pas soutenu par votre entourage, toutefois, vous vous mettez sur la défensive. Cela se produit souvent de façon subite, parce que vous cachez vos sentiments – y compris à vous-même. Essayez de ne pas être trop dévoué. Cela devient malsain pour tout le monde si vous vous perdez complètement dans les causes et les problèmes des autres.

TROUVER L'HARMONIE

Si votre partenaire, ami ou collègue a choisi…

… *la même couleur secondaire que vous,* il vous aide à mieux comprendre votre façon de penser.

… *une autre couleur secondaire que la vôtre,* il vous montre une façon différence d'envisager une situation ou une personne.

Un vert avec un vert

Ensemble, vous créez un sentiment de confort. À votre meilleur, vous renforcez mutuellement votre sens du moi. C'est comme si vous ne faisiez qu'un. En aidant un autre vert, vous vous aidez vous-même. Vous créez tous deux un monde qui permet à l'autre de mieux comprendre qui il est. C'est un contexte sécurisant, un refuge. Dans vos pires moments, vous percevez l'aspect égocentrique de l'autre comme la preuve qu'il ne se soucie pas de vous.

Un violet avec un violet

Vous assumez beaucoup de choses. À votre meilleur, vous pouvez tous deux générer de nouvelles idées et développer de nouvelles choses. Votre esprit et votre sens du drame rendent la vie amusante et passionnante. Les membres de votre entourage peuvent même croire que vous êtes en train de vous disputer quand ils sont témoins de vos échanges caustiques et de vos sarcasmes, alors qu'en fait, c'est votre façon de vous amuser. Dans les pires moments, vous présumez des « faits » qui ne sont pas exacts. Cela peut vous rendre tous deux pessimistes et paranoïaques.

Un orange avec un orange

Vous renforcez vos réalisations mutuelles. À votre meilleur, vous créez un monde dans lequel vous vous sentez tous les deux appréciés. Vous reconnaissez volontiers la contribution de l'autre à un projet. Les autres vous perçoivent comme des personnes sentimentales par moments et strictement logiques à d'autres. Dans les pires moments, vous pouvez tous deux devenir très critiques et vous passez à la loupe des faits insignifiants et des fautes sans gravité.

Un vert avec un violet

Vous augmentez mutuellement votre conscience de vous-même ainsi que votre endurance face à l'échec. En tant que vert, vous montrez au violet comment ralentir et apprécier les plaisirs du quotidien. En cas de crise, vous pouvez devenir égocentrique et ignorer la passion du violet pour la relation.

En tant que violet, vous aidez le vert à prendre conscience de ses forces intérieures et vous l'encouragez à avoir davantage confiance en lui. Comme moyen de défense, vous pouvez vous replier sur ce que vous faites et ignorer le vert.

Un vert avec un orange

Vous réunissez les personnes et les choses. En tant que vert, vous réconfortez l'orange en l'aidant à ne plus ressasser les échecs passés. L'orange cesse alors d'être hyper sensible et est davantage en mesure de contribuer à son environnement.

En tant qu'orange, votre reconnaissance des réalisations passées aide le vert à se sentir fier. Mais en période de stress, le vert peut se sentir négligé, à cause de votre dévouement compulsif pour les autres. Vous devenez alors critique, agacé par le besoin « constant » d'attention du vert.

Un violet avec un orange

Vous créez des rêves réalistes. En tant que violet, vous apprenez au orange à voir les possibilités de l'avenir. En retour, le côté analytique du orange rend vos attentes plus réalistes.

En tant qu'orange, vous devenez négatif lorsque le violet se laisse distraire par des idées grandioses. Si vous vous laissez envahir par les histoires des autres ou par votre travail, le violet peut se sentir négligé.

VOTRE CONNEXION SECONDAIRE

Si vous aimez également deux couleurs secondaires, vous n'êtes pas certain de ce que vous attendez d'une relation. Les autres peuvent croire qu'ils vous connaissent et se retrouver devant une personne totalement différente. Déstabilisant ? Bien sûr que vous l'êtes ! Nul ne peut vous satisfaire ni même être proche de vous à moins de savoir ce dont vous avez besoin.

Si vous avez une préférence pour les couleurs de la catégorie secondaire en général, vous pensez constamment aux autres. Votre besoin d'être proche de quelqu'un peut devenir excessif, ce qui est particulièrement évident dans les moments de crise. Vous vous perdez totalement. Le fait d'être constamment à la disposition des autres peut les empêcher de vous rendre la pareille.

Si vous trouvez les couleurs de la catégorie secondaire déconcertantes, vous êtes amer à cause d'une relation passée ou vous n'êtes pas disponible sur le plan émotionnel. Pour vous, ces couleurs sont trop ouvertes sur le monde. Cessez de vous identifier à ces chansons d'amour tristes que vous entendez à la radio ! Montrez votre vulnérabilité en laissant votre partenaire, ou un candidat potentiel pour une relation, voir votre moi véritable.

Rire fort

Lorsque j'étais propriétaire d'une entreprise de dotation en personnel, j'ai formé des centaines de représentants commerciaux. La plupart avaient une préférence pour le violet – tout comme moi. Au retour d'une visite de vente, nous, les violets, présumions toujours savoir ce dont nos clients avaient besoin au lieu de le leur demander. C'était vraiment alarmant. À cause de notre accord mutuel, nous prenions nos déductions pour des « faits ». Plus tard, nous étions ébahis de découvrir que notre « information » était erronée.

Les représentants commerciaux qui préféraient le vert avaient une approche de consultant innée. Ils se servaient de leur capacité d'écoute pour construire leur relation avec le client. Grâce à leur approche attentionnée mais convaincante, chaque client avait l'impression d'être maître de la situation. Ceux qui préféraient le violet étaient étonnés de constater qu'une approche aussi modérée se solde par une vente.

J'ai eu beaucoup d'oranges qui réussissaient bien dans la vente. Lorsqu'ils s'engageaient dans un projet, ils partaient en guerre, pas au travail. Les projets pratiques leur permettaient de s'impliquer complètement pour tout régler. Ils préféraient travailler sur des objectifs ou des projets plus tangibles.

LE LANGAGE DES COULEURS SECONDAIRES

Le vert est nourricier

Le vert fournit l'infrastructure nourricière pour la vie. Le sol fertile contient les ingrédients qui permettent aux plantes de pousser. De la même manière, les personnes qui ont une préférence pour le vert sont très attentionnées et conscientes de l'équilibre délicat que requiert notre environnement. Elles comprennent les besoins les plus élémentaires et fournissent les bases de l'existence concrète.

Le violet recherche les possibilités

Le violet est la couleur la plus foncée du spectre. De la même manière, les personnes qui ont une préférence pour le violet cherchent à se définir. Elles ont le courage de scruter les ténèbres de leurs émotions. Un violet se soucie de définir son moi afin de devenir plus puissant. Il sait que la croissance personnelle commence par l'étude des possibilités.

L'orange dissèque

L'orange est la couleur la plus chaude de notre atmosphère. Or, la chaleur est la force derrière le changement ; elle transforme la matière. De la même manière, les personnes qui ont une préférence pour l'orange ont la capacité de transformer les choses en analysant la façon dont elles ont été faites. Comme pour l'osmose, elles absorbent ce qui fonctionne, mais elles peuvent aussi éliminer ce qui ne fonctionne pas afin que quelque chose de nouveau puisse croître. Un orange se préoccupe de créer des changements constructifs.

Quand vos couleurs secondaires changent

Le degré de préférence pour une couleur secondaire détermine votre degré d'implication dans vos relations personnelles et professionnelles. S'il change, vous traversez une période relationnelle difficile. Si la couleur secondaire que vous aimez le moins change soudainement, vous avez appris une grande leçon au sujet de ceux qui vous entourent.

Le questionnaire des couleurs secondaires

Répondez par vrai ou faux*.

Le vert est leur couleur secondaire préférée

1. Ils sont candides dans leurs pensées et leurs actions. V F
2. Ils sont stimulés par l'intelligence. V F

Le vert est la couleur secondaire qu'ils aiment le moins

3. Ils adorent que les autres s'occupent d'eux. V F
4. Ils ont besoin d'être plus égoïstes. V F

Le violet est leur couleur secondaire préférée

5. Ils n'aiment pas discuter d'idées ou développer de nouvelles choses. V F
6. Ils se taisent lorsqu'ils se sentent insultés. V F

Le violet est la couleur secondaire qu'ils aiment le moins

7. Ils manifestent leurs émotions à tout le monde. V F
8. Ils ne disent rien lorsqu'ils sont bouleversés. V F

L'orange est leur couleur secondaire préférée

9. Lorsqu'ils s'ennuient, ils créent le chaos. V F
10. Ils peuvent être sentimentaux, voire romantiques. V F

L'orange est la couleur secondaire qu'ils aiment le moins

11. Ils peuvent être trop gentils. V F
12. Ils réussissent à éliminer ce qui ne fonctionne pas. V F

* Réponses à la page suivante.

Réponses du questionnaire sur les couleurs secondaires

Le vert est leur couleur secondaire préférée

1. F Ne vous laissez pas berner par leur air angélique.
2. V Ils vivent un moment intime avec votre esprit.

Le vert est la couleur secondaire qu'ils aiment le moins

3. V Leur cuisiner un petit plat relève de l'exploit.
4. V Ils pourraient prendre des cours d'égoïsme.

Le violet est leur couleur secondaire préférée

5. F Ils vous donneront leur avis même si vous ne le leur demandez pas.
6. V Ensuite, ils se vengent.

Le violet est la couleur secondaire qu'ils aiment le moins

7. F Même leurs amants ne les connaissent pas.
8. V Lorsqu'ils sont en crise, il leur est difficile de dire « Bonjour » le matin.

Le orange est leur couleur secondaire préférée

9. V Prenez garde. D'une façon ou d'une autre, ils arriveront à vous faire modifier votre journée.
10. V Ils peuvent montrer des photos et raconter des histoires pendant des heures.

Le orange est la couleur secondaire qu'ils aiment le moins

11. V Écoutez-les : « Puis-je vous aider ? »
12. F Ils continuent à faire les choses de travers jusqu'à ce qu'ils s'évanouissent.

CHAPITRE QUINZE

Les couleurs achromatiques

Vos espoirs et vos peurs

On ne mesure pas la valeur d'un homme en fonction
de ce qu'il accomplit, mais plutôt en fonction
de ce qu'il rêve d'accomplir.

KHALIL GIBRAN

Le noir, le marron et le blanc appartiennent à la catégorie achromatique parce que ces couleurs ne figurent pas dans les rayons colorés visibles du spectre chromatique. Ces couleurs représentent votre moi intérieur. Cette partie instinctive de vous-même cimente votre être. C'est la force sous-jacente de vos espoirs et de vos peurs. Avant de commencer, réexaminez vos choix achromatiques à la page 17.

Dans ce chapitre, vous apprendrez à laisser exister le silence qui est en vous. Si vous travaillez trop dur, réfléchissez trop ou abusez de l'alcool ou d'autres drogues, vous aurez de la difficulté à vivre vos sentiments intimes.

Votre couleur achromatique préférée représente votre noyau, qui dirige le changement de façon rationnelle. Vous essayez de vous assurer que votre moi intérieur obtienne ce dont il a le plus besoin.

La couleur achromatique que vous aimez le moins représente les inquiétudes profondes qui entravent la poursuite de vos passions et dénote votre façon particulière de vous assurer que votre moi intérieur confronte vos plus grands dilemmes.

Les couleurs achromatiques indiquent la réaction que vous avez quand la pression vous force à changer. Vous découvrirez ce que vous chérissez le plus en vous ainsi que vos plus grands défauts. En lisant ce chapitre, soyez particulièrement à l'écoute de la voix intérieure qui ne se fait entendre que lorsque vous êtes totalement silencieux.

LE NOIR EST VOTRE COULEUR PRÉFÉRÉE

> *Nous fonctionnons avec les sentiments. Celui qui connaît la magie aura toujours sa place dans le Royaume.*
>
> WALT DISNEY

- Mots clés : émotif, déterminé, fidèle
- Pouvoir : connaître vos émotions
- Motivation : comprendre votre passé

Vos espoirs

Vous reconnaissez la valeur que chaque personne apporte à une relation. Les autres vous perçoivent comme une personne impétueuse, énergique et capable de se défendre. Vous voulez connaître l'inconnu. Vous essayez de tracer votre vie de façon à en faire un plan logique pour l'avenir. Lorsque vous devez prendre une décision, vos sentiments peuvent prendre le dessus sur la rationalité.

Votre engagement envers les autres vous donne une perspective saine de vous-même. Vous vous dévouez passionnément aux autres. Lorsque vous vous approchez trop d'eux et qu'ils vous rejettent, les sentiments que vous éprouvez vous font dresser un bilan affectif de votre vie. Le fait de contempler votre passé émotionnel vous rassure et vous donne le sentiment d'être sur la bonne voie.

Vos peurs

Vous prenez les gens et les événements trop au sérieux. Il vous est donc difficile, voire impossible, de rester objectif. Vous avez tendance à jeter le blâme sur quelqu'un ou quelque chose d'autre si les choses ne se passent pas comme vous le voulez. Bon nombre de vos souffrances sont causées par votre attachement au passé. Le fait de vous réfugier dans vos souvenirs ne fait qu'aggraver vos problèmes.

Lorsque vous êtes bouleversé, vous exagérez vos responsabilités et vous vous sentez dépassé. C'est uniquement lorsque vous êtes frustré sur le plan émotionnel que vous envisagez des changements. Vous vous sentez coupable lorsque vous adoptez une nouvelle ligne de conduite, comme si vous trahissiez les autres ou que vous vous perdiez.

Nourrissez votre âme

Le fait que les autres aient besoin de vous vous plaît. Cela vous permet de vous sentir proche d'eux, voire en sécurité. En vous sentant proche des autres, vous avez l'impression que le monde ne peut vous faire du mal. Lorsque les autres vous encouragent à exprimer ce que vous ressentez, cela vous stimule.

Vous vous sentez très responsable de ceux qui vous entourent. Cela réconforte les êtres qui vous sont chers. Ils savent à quoi s'attendre. Cela peut aussi, toutefois, vous rendre trop prévisible. Si ce n'est pas déjà fait, assurez-vous de surprendre les autres de temps en temps. Maintenez un peu de piquant dans vos relations !

Allégez vos relations

Lorsque vous sentez que les autres ne vous soutiennent pas émotionnellement, vous essayez de vous rapprocher davantage. Prenez un peu de recul et donnez-leur l'espace dont ils ont besoin. Ne laissez pas votre besoin d'être lié sur le plan émotionnel les faire fuir. Si vous souffrez, votre refus d'accepter quelque chose refait surface. N'exigez pas autant d'attention. Si vous êtes sur la défensive, cela affectera votre confiance en vous et il sera plus difficile pour les autres de se rapprocher de vous.

Agissez

Vous êtes discipliné et vous gardez les autres dans le droit chemin. Lorsque vous êtes loyal ou possédez quelque chose, vous vous battez pour garder ce qui vous appartient. Vous êtes un « surperformant » et vous avez besoin d'autonomie pour être à votre meilleur. Vous aimez terminer les choses sans être interrompu. Cela dit, vous avez besoin de la loyauté de vos collègues et, en retour, vous vous préoccupez sincèrement d'eux.

Ressaisissez-vous

Votre besoin de tout terminer peut gêner votre capacité à être ouvert aux informations essentielles. Ce côté entêté vous perdra.

Ne laissez pas votre détermination vous faire rater l'essentiel. Soyez à l'écoute de nouvelles options, même après avoir pris une décision. Laissez les autres contribuer à un projet. Votre méthode peut fréquemment bénéficier d'une nouvelle façon de faire les choses.

Votre grande leçon

Vos souvenirs sont les trésors de votre esprit. Ils n'appartiennent qu'à vous. Faites-leur honneur en évitant de vous empêtrer dans vos émotions. Apprenez de vos souvenirs et allez de l'avant.

LE NOIR EST LA COULEUR QUE VOUS AIMEZ LE MOINS : VOUS PRENEZ DES DÉCISIONS SANS ÉMOTIVITÉ

Vous êtes très rationnel. Au moment de prendre une décision, vous ne démontrez aucune émotion. Ce détachement vous aide à envisager de nouvelles idées et informations. Comme vous n'utilisez que la logique, vous remarquez que les autres peuvent être excessifs et incohérents. Vous allez droit à la vérité afin de vous concentrer sur ce qui doit être fait.

Dans vos relations, vous vous attachez très facilement et vos émotions vous envahissent. Le fait de vous perdre totalement peut vous exciter au plus haut point. Plus tard, toutefois, vous pouvez ressentir un certain vide, comme si vous vous étiez perdu. Initialement, le fait de mettre un terme à une relation peut vous sembler facile, mais vous avez du mal à en libérer les émotions résiduelles. Vous devez comprendre que le fait de ressentir encore certains sentiments après une rupture ne signifie pas que vous devez revenir sur votre décision.

Au travail, vous êtes motivé et vous recherchez l'avancement. Vous attendez des autres qu'ils reconnaissent votre façon pondérée de faire les choses. Vous souhaitez organiser votre temps sans avoir à vous référer à un supérieur. Sous pression, vous adoptez un esprit très logique, exactement l'inverse de ce vous faites dans vos relations. Lorsque la pression est vraiment grande, vos collègues s'adressent à vous pour obtenir une perspective impartiale. Les aider à résoudre leurs problèmes vous comble.

Soyez en contact avec vos émotions. Essayez de ne pas être toujours si rationnel. Si vous suivez votre cœur plutôt que votre tête, vous serez plus heureux à long terme. Vous comprendrez mieux la valeur de vos engagements, et tous les changements qui se produisent dans votre vie répondront mieux à vos besoins. Vous obtiendrez le pouvoir de mieux contrôler ces « sentiments illogiques ».

LE BLANC EST VOTRE COULEUR PRÉFÉRÉE

Le seul homme qui puisse changer
d'avis est celui qui en a un.
EDWARD NOYES WESTCOTT

- Mots clés : objectif, curieux, analytique
- Pouvoir : envisager de nouvelles options
- Motivation : créer un nouvel avenir

Vos espoirs

Vous faites don de votre connaissance. Grâce à vos suggestions, les autres prennent du recul et considèrent toutes les options.

Votre objectivité confère à vous-même ainsi qu'aux autres la capacité d'examiner les choses en profondeur. Lorsque vous obtenez ce que vous voulez, votre espoir est renouvelé. Vous envisagez une situation avec optimisme et démontrez votre capacité à résoudre des problèmes.

Le fait de choisir la bonne option vous procure de la satisfaction ; vous désirez évaluer soigneusement tous les facteurs afin de les intégrer à vos objectifs. Le monde vous appartient si vous arrivez à distinguer les différentes subtilités qu'offrent les choix. En analysant les choses de façon logique avant d'agir, vous avez le pouvoir de déterminer l'avenir que vous voulez.

Vos peurs

Lorsque vous êtes sous pression, vous prenez du recul afin de retrouver votre objectivité. Toutefois, une distance excessive peut vous faire perdre de vue ce qui est important pour vous. Cela peut vous empêcher de tirer le meilleur profit des situations existantes. Ralentissez un peu. Rappelez-vous d'accorder autant d'importance à vos sentiments. Vous saurez mieux ce que vous voulez. Votre monde vous paraîtra plus solide.

Nourrissez votre âme

Lorsque vous avez suffisamment d'espace, tout le monde en bénéficie. Le fait d'avoir des moments de répit dans votre environnement de travail et dans vos relations vous donne le pouvoir de ne pas vous embourber dans les problèmes. Cela vous donne également la chance de renseigner les gens sur de nouvelles façons d'améliorer leur vie.

Allégez vos relations

Vous avez tendance à éviter de vous rapprocher des gens. Vous vous plongez dans de nouveaux projets et vous vous surchargez d'information. Est-il alors étonnant que les gens vous trouvent égocentrique et indifférent? En période de stress, ils peuvent même avoir l'impression que vous avez mis un terme à votre relation avec eux sans même avoir dit au revoir. Décidez de ce qui vous rend heureux, et éliminez complètement les choses qui ne fonctionnent pas dans votre vie. Laissez votre avenir être déterminé par les actions que vous entreprenez, et non pas par les résultats de votre inaction.

Agissez

Vous êtes à votre meilleur lorsque vous pouvez conseiller les gens sur des façons nouvelles et meilleures de faire les choses. Vous vous adaptez bien aux nouvelles situations. Les environnements dans lesquels vous pouvez rencontrer de nouvelles personnes et expérimenter de nouvelles choses galvanisent votre curiosité naturelle. Toute cette stimulation met en valeur votre charme. Cela vous permet d'apprécier les personnes et les choses qui comptent pour vous.

Ressaisissez-vous

Ne laissez pas votre quête de la solution parfaite détruire votre capacité décisionnelle. Soyez ferme. Il n'y a pas de garanties dans la vie. Si vous ne prenez pas les bonnes décisions au moment opportun, vous ne ferez qu'aggraver les choses. Le fait d'être constamment à la recherche de nouvelles options peut conduire les autres à penser que vous ne les tenez pas en estime. Ils peuvent perdre leur loyauté à votre égard ou avoir l'impression que vous ne leur faites pas confiance. Attardez-vous à ce qui fonctionne déjà.

Votre grande leçon

Communiquez clairement votre grand besoin d'espace dans vos relations de façon à voir les choses objectivement. Une fois que les autres auront compris votre nature, ils apprécieront davantage vos précieuses suggestions.

LE BLANC EST LA COULEUR QUE VOUS AIMEZ LE MOINS : VOUS DONNEZ AUX AUTRES UN SENTIMENT D'APPARTENANCE

Quand vous êtes en pleine forme, vous attirez les autres comme un véritable aimant. Le fait de vous parler leur donne un sentiment d'appartenance. Cela vous aide à prendre votre place. Quand vous ne vous sentez pas bien, tout changement est presque impossible. Souvent, vous battez en retraite avant même d'avoir terminé quelque chose. Votre peur de l'abandon peut vous empêcher de repartir à zéro, même lorsque les situations peuvent vous nuire.

Lorsque vous commencez à apporter un changement dans votre vie, vous paniquez. Vous entrevoyez trop d'options, ce qui ajoute de la confusion et de la frustration à votre état. Cette situation n'est toutefois que temporaire. Tâchez de vous éloigner de votre peur. Ne vous inquiétez pas ; vous ne perdrez pas ce qui est important pour vous. En fait, vous verrez plus clairement ce qui compte pour vous dans la vie.

Dans les situations professionnelles où vous êtes à l'aise, votre simple présence facilite les choses. Votre énergie inspire un meilleur travail d'équipe parmi vos collègues. Vous vous attirez des ennuis, toutefois, quand vous n'envisagez pas toutes les options. Avez-vous examiné toutes vos ressources potentielles? Avez-vous pris en considération l'opinion des fournisseurs, des chefs de département et de vos collègues? Prudence. Si vous attendez à la dernière minute, vous risquez de rater des occasions ou de vous retrouver avec une surcharge de travail.

Quand vous n'aurez pas à penser à quelqu'un ou à quelque chose d'autre, vous connaîtrez le plaisir d'être en vie. Vous serez en mesure de prendre des risques, de voir de nouvelles choses et de rencontrer des personnes intéressantes. Essayez de vous imaginer allongé sur une plage. Qui voulez-vous à vos côtés? Pourquoi? Qui n'a pas été invité? Pourquoi pas? Le fait de savoir où vous en êtes vous permettra de vous sentir beaucoup plus sûr de vous.

LE MARRON EST VOTRE COULEUR PRÉFÉRÉE

> *Le monde est un miroir qui renvoie*
> *à chaque homme son propre reflet.*
> WILLIAM MAKEPEACE THACKERAY

- Mots clés: avisé, authentique, compatissant
- Pouvoir: comprendre la réalité
- Motivation: expérimenter les sensations de la vie

Vos espoirs

Vous êtes terre à terre. Vous devenez authentique lorsque vous reconnaissez les aspects superficiels de votre personnalité. De façon générale, vous ne croyez pas à une vie après la mort, au jugement divin ou à la cruauté du destin. Les choses existent, c'est tout ; le reste n'est que vanité. Vous êtes capable de soupeser toutes les options existantes, et vous réfléchissez deux fois plutôt qu'une avant de prendre une décision. Les autres vous percevront peut-être comme une personne intuitive. En réalité, vous n'avez tout simplement pas d'illusions et vous êtes bien conscient des conséquences de vos actes.

Vous préférez vivre dans le moment présent et vous appréciez les plaisirs de la vie. Les charmes du monde vous inspirent. Plus vous explorez votre environnement, plus vous vous exprimez. Agir vous stimule. L'activité vous donne le sentiment de vous accomplir. Vous êtes constamment à l'affût de nouvelles sensations afin de mettre du piquant dans votre vie.

Vos peurs

Vos peurs sont basées sur des réalités concrètes. La mort, le déclin, le vieillissement et la perte des facultés et du bonheur sont vos principales préoccupations. Vous avez peur que votre dévouement vous ait fait négliger d'importants aspects de votre vie. C'est pourquoi lorsque vous déclarez ce que vous voulez, les autres peuvent vous trouver égoïste. Prenez un peu de recul avant d'agir. Remarquez la contribution que chaque personne apporte à votre vie. Respecte-t-elle votre savoir ? Votre loyauté est-elle appréciée ?

Nourrissez votre âme

Vous voulez laisser libre cours à vos passions et vivre intensément. Vous affichez souvent un air de concentration exagéré. Votre grande conscience des besoins des autres génère de l'énergie. Cela vous stimule et vous permet d'obtenir ce que vous voulez et d'être avec qui vous voulez. C'est votre pouvoir. Vous ne prenez pas les choses au pied de la lettre et vous vous gardez de porter des jugements. Vous constatez que chaque personne vit pour elle-même. Ainsi va la vie.

Allégez vos relations

Quand vous êtes bouleversé, vous pouvez faire une fixation sur ce que vous voulez, déterminé à l'obtenir quoi qu'il en coûte. Votre dévouement aux autres vous empêche-t-il de vivre vos propres désirs ? Avant de vous jeter sur ce que vous voulez, confrontez vos sentiments. Sinon, votre nature obsessive peut pousser les gens à se sentir négligés et à questionner la valeur qu'ils ont à vos yeux.

Agissez

En tant que gestionnaire, vous saisissez parfaitement l'ensemble d'une situation avant de donner des ordres. Vous préférez travailler dans un environnement où vous avez un rôle de soutien, notamment en rappelant aux autres les réalités quotidiennes. Votre raisonnement réaliste vous aide à faire meilleur usage des ressources concrètes. Vous pensez à améliorer les choses maintenant, et non pas plus tard, et vous ne vous éternisez pas sur le passé. Les autres se sentent réconfortés par votre vive sensibilité.

Ressaisissez-vous

Lorsque vous posez constamment des questions afin de vérifier les faits, les autres peuvent vous croire moins cultivé que vous ne l'êtes. Ils ne comprennent pas que vous essayiez de voir au-delà du point de vue subjectif de chacun. Attention, car cela pourrait se retourner contre vous et vous n'obtiendrez pas la reconnaissance que vous méritez. Assurez-vous de faire valoir ce que vous avez accompli.

Votre grande leçon

N'essayez pas d'en faire trop pour ceux à qui vous êtes dévoué. À l'inverse, essayez plutôt de miser et de vous concentrer sur votre propre vie. Vous vous sentirez plus vivant.

LE MARRON EST LA COULEUR QUE VOUS AIMEZ LE MOINS : RIEN NE VOUS ARRÊTE

Vous êtes un ancien élève de l'école de la vie. En apprenant à la dure, vous avez vécu des choses que vous n'auriez pas connues si les circonstances avaient été plus favorables. Vous êtes déterminé à faire des changements. Vous avez l'impression que vous pouvez changer votre environnement et vous-même, et rien ne peut vous arrêter.

Avec l'âge, vous remarquez que les choses ont changé. Tout le monde a vieilli. Ne faites pas une obsession du temps qui passe.

Acceptez que votre point de vue changera, que vous aurez l'air plus âgé et que des personnes plus jeunes ne vous trouveront pas aussi sexy. Appréciez chaque étape de la vie.

Vous pouvez parfois avoir l'impression que vous vous forcez à essayer d'obtenir ce que vous voulez et que vous n'allez nulle part ou que vous avez passé trop de temps à mener les batailles des autres. Regardez à nouveau. Ne cherchez-vous pas à éviter certains faits que vous connaissez trop bien ? Au départ, en devenant plus conscient de ce dont vous êtes capable et de ce à quoi vous pouvez vous attendre de vos relations, vous aurez l'impression de prendre une douche froide. Éventuellement, cependant, vous vous sentirez merveilleusement bien, plus vivant.

Au travail, vous pouvez être trop exigeant envers les autres ainsi qu'envers vous-même. Prenez les choses comme elles viennent. N'attendez pas des autres qu'ils vous protègent. Vous vous sentirez plus stable et plus en contrôle de vous-même. Soyez honnête avec vous-même et acceptez vos limites. Le fait de nier les compétences requises pour un travail ou une carrière donnés ne sera finalement qu'une source de frustration. L'expérience ne vous rendra pas plus sage.

Au fin de compte, la vie est riche quand les expériences le sont. Rappelez-vous régulièrement que vous allez mourir un jour. Vous chérirez davantage ce que vous faites et vous attirerez des relations qui vous permettront de profiter de la vie plus intensément.

PRÉDIRE LES RÉSULTATS

La combinaison de la couleur achromatique que vous préférez et de celle que vous aimez le moins dénote votre attitude face au changement.

Vous aimez le noir, vous n'aimez pas le blanc

Vous comptez sur votre conscience émotionnelle pour améliorer vos relations. Vous êtes très dévoué, et votre loyauté envers votre entourage fait que l'on vous aime beaucoup. Malheureusement, quand un changement s'impose, vous avez tendance à ressasser les choses de façon excessive. Vous pouvez rester absorbé dans le même état d'esprit ou être obsédé par une relation bien après qu'elle ne soit terminée. Accordez la priorité à ce qui est important, foncez et créez vos propres opportunités.

Vous aimez le noir, vous n'aimez pas le marron

Vos émotions font votre force. Quelles que soient les distractions dans la vie, vous remarquez la valeur des choses. Votre loyauté envers les autres les encourage à devenir de meilleures personnes, ce qui est probablement la raison pour laquelle vous êtes entouré de gens qui vous sont dévoués. Cependant, quand vous prenez des décisions, vous avez parfois des attentes irréalistes en ce qui concerne les autres. Soyez donc prudent. Acceptez les choses telles qu'elles sont, et non pas comme elles pourraient être, et les gens ne vous abandonneront pas autant. Votre vie sera plus satisfaisante ; vous vous sentirez davantage comme un gagnant.

Vous aimez le blanc, vous n'aimez pas le noir

Logique et pratique, vous trouvez facilement de nouvelles façons d'atteindre vos objectifs. Or, comme vous ne dévoilez pas vos émotions et que vous gardez vos distances, les gens peuvent vous trouver froid, et votre nature critique n'arrange pas les choses. Au départ, vous pouvez éprouver des difficultés à vous rapprocher de quelqu'un dans une relation. Vous avez l'impression de perdre votre objectivité. Plus tard, toutefois, vous devenez entièrement dévoué, capable d'offrir constamment des suggestions pertinentes.

Vous aimez le blanc, vous n'aimez pas le marron

Vous passez votre temps à vous évaluer et à évaluer les autres. Cependant, les options que vous envisagez pour vous-même dépassent souvent votre capacité à accomplir ce que vous voulez réellement ou n'y correspondent pas forcément. Vous dépensez trop d'énergie à chercher et vous ne réfléchissez pas suffisamment à la direction que vous voulez prendre. Le fait de vous éloigner de vos émotions et des autres ne vous aide en rien. Avez-vous peur de confronter vos désirs ? Composez avec ceux-ci. Déterminez où ils vous conduiront, sinon vous détruirez votre capacité à garder ce qui vous tient à cœur.

Vous aimez le marron, vous n'aimez pas le noir

Vous êtes très réaliste, et il est difficile de vous duper. Vos décisions sont basées sur les faits. Au départ, les autres ont l'impression que vous vous souciez d'eux. Puis soudainement, vous ne semblez plus vous préoccuper que de ce qui est juste et non pas des sentiments des autres. Vous êtes un « surperformant », mais toute cette activité peut nuire à votre compréhension de vous-même. Rappelez-vous que vous représentez davantage que la somme de vos réalisations. Confrontez vos émotions, sinon vous ne vous définirez qu'en fonction de la vision que les autres ont de vous.

Vous aimez le marron, vous n'aimez pas le blanc

Vous êtes très réaliste et vous avez un sens inné de l'équité. Vous utilisez les faits pour établir une certaine cohérence. Les autres vous trouvent très sensible à leurs problèmes et à vos besoins. Malheureusement, toute cette attention que vous consacrez aux autres vous éloigne de vous-même. Soyez plus objectif. Prenez un moment pour décider de ce que vous pourriez avoir d'autre dans la vie, sans quoi vos routines obsessives détruiront votre avenir.

CHIMIE SEXUELLE

Si votre partenaire a choisi…

… *la même couleur achromatique préférée que celle que vous avez choisie,* il ou elle vous permet d'établir une meilleure cohérence de votre moi intérieur et vous fait vous sentir bien.

… *une couleur achromatique préférée différente de la vôtre,* il ou elle vous fait prendre conscience de vos plus grandes leçons dans la vie et vous donne la connaissance nécessaire pour réussir.

Un noir avec un noir

Les deux partenaires apprécient mutuellement la loyauté dont chacun fait preuve envers ceux qui comptent pour l'autre. Ensemble, vous vous encouragez dans les décisions que vous avez prises et les sacrifices que vous avez faits pour les autres ou pour le salut de votre relation. Vous avez besoin l'un de l'autre.

Quand vous êtes bouleversé, en revanche, aucun de vous n'écoute l'autre. Ensemble, vous pouvez devenir paranoïaques, vous attendant tous les deux au pire. Vous gaspillez votre énergie à vous éterniser constamment sur des situations ou d'autres personnes.

Un blanc avec un blanc

Vous vous accordez mutuellement la liberté dont chacun a besoin pour faire ce que vous voulez dans la vie. Ensemble, vous exploitez vos capacités objectives, curieuses et analytiques pour résoudre les problèmes. Vous admirez mutuellement votre indépendance. Cette autonomie donne à chacun de vous la capacité de rester concentré sur votre avenir sans interférence.

En cas de crise, vous avez tous les deux besoin d'espace. Un conflit génère un laps de temps pendant lequel votre réflexion rapide peut s'avérer une perte d'énergie pour tous les deux.

Un marron avec un marron

Ces deux-là créent leur propre univers lorsqu'ils se rencontrent. Grâce à votre conscience compatissante, vous créez ensemble un environnement authentique dans lequel vous pouvez tous les deux apprécier les plaisirs de la vie. Vous discutez des façons de rendre votre travail agréable ou votre maison plus confortable. Les autres vous perçoivent comme libres d'illusions et conscients des conséquences de vos actes.

L'action vous stimule tous les deux. Cependant, l'un de vous deux peut s'enticher de quelqu'un d'autre ou de quelque chose ou développer une obsession au sujet d'un objet qu'il désire. Votre détermination compulsive à atteindre votre objectif peut pousser l'autre à se sentir négligé.

Un noir avec un blanc

Vous prenez de bonnes décisions ensemble. En tant que noir, vous parlez de vos sentiments. Cette ouverture permet au blanc d'être plus à l'aise avec les émotions et généralement à se sentir plus confiant. En tant que blanc, vous calmez par votre objectivité votre partenaire émotif, en permettant au noir de voir de nouvelles options et de regarder avant de sauter.

En cas de crise, en tant que blanc, vous prenez du recul pour évaluer la situation objectivement. Le noir, quant à lui, avance, essayant de se rapprocher davantage de vous. Vous vous sentez alors coincé et avez tendance à trouver que le noir requiert trop d'attention, ce qui vous pousse à reculer davantage. Il en résulte un conflit, une bonne conversation ou une sexualité passionnée.

Un noir avec un marron

Ce couple génère une passion orientée vers l'action. En tant que noir, vous mettez le marron au défi d'envisager ce qu'il y a de plus important. Votre sollicitude encourage le marron à accumuler davantage de richesses ou à mieux apprécier la valeur de votre relation. En cas de crise, les émotions du noir peuvent lui faire ignorer les solutions pratiques – ce qui est source de frustration pour le marron.

En tant que marron, vous empêchez le noir de se trouver dans une impasse. Votre nature intuitive apprend à votre partenaire à revenir sur terre et à se concentrer sur les détails pratiques du moment plutôt que sur les émotions du passé. Vous pouvez toutefois vous laisser emporter par ce que vous faites, ce qui peut pousser le noir à se sentir secondaire dans votre vie.

Un blanc avec un marron

Vous découvrez de nouvelles possibilités à apprécier ensemble. En tant que blanc, vous aidez le marron à progresser dans ses relations et dans sa carrière en lui offrant constamment des suggestions. Vous appréciez la façon dont le marron vous conforte dans votre relation et face au monde extérieur. En cas de crise personnelle, votre partenaire peut vous sembler légèrement borné, ce qui donne l'impression au marron que l'on n'a pas besoin de lui.

En tant que marron, votre dévouement et votre vive sensibilité sont une source constante de stimulation pour le blanc. Vos observations créent un flot constant d'informations utiles. Vous mettez du plaisir dans chaque journée et plein d'action. Lorsque vous ne vous sentez pas apprécié, vous commencez à aider les personnes qui ont besoin de vous. Ce revirement soudain peut donner au blanc l'impression de passer inaperçu et d'être abandonné.

VOS FRONTIÈRES ACHROMATIQUES

Votre besoin d'espace personnel crée des frontières émotionnelles. Lorsque qu'une personne s'éloigne trop, vous avez l'impression qu'elle vous a abandonné. Si une personne s'approche trop, vous pouvez sentir qu'elle s'impose. Ce jeu de va-et-vient continuel, consistant à créer de la distance à un moment puis à se sentir trop intime par la suite, représente le combat d'une vie afin de pouvoir être intime avec quelqu'un sans se perdre soi-même.

Choisissez la couleur que vous préférez entre le noir et le blanc seulement. Vous apprendrez comment vous gérez votre espace personnel.

Si vous préférez le noir, vous avancez. Simplement par vos émotions, les autres sentent votre présence. Cela peut soit irriter soit stimuler votre partenaire. Vous créez un sentiment intense de proximité en éliminant la distance émotionnelle. Pour vous, être plus proche rend votre relation plus intime.

Si vous préférez le blanc, vous reculez pour préserver votre espace et maintenir votre objectivité. Cela motive les noirs, qui recherchent l'intimité, à se rapprocher davantage. Ce mouvement de va-et-vient génère une énergie excitante. Cela stimule de nouvelles pensées et des sentiments inattendus.

Si vous aimez tous les deux le noir ou le blanc, les choses se compliquent. Si vous aimez tous les deux le noir, l'un de vous deux se retrouve à l'extérieur de sa zone de confort. L'un des deux doit donc devenir distant, plus objectif, comme un blanc. Le contraire est également vrai. Si vous aimez tous les deux le blanc, l'un des deux se retrouve à l'extérieur de sa zone de confort pour devenir plus proche, plus intime, comme un noir.

Rire fort

Être conscient de la communication non verbale est essentiel, et c'est amusant! Jouez à un jeu de frontières spatiales avec vos amis ou votre partenaire et vous comprendrez ce que je veux dire. La seule règle, c'est de faire le contraire de ce que vous feriez normalement. Observez alors comment la personne devient mal à l'aise.

Si vous préférez le noir, créez une distance spatiale en restant à l'écart et en étant plus objectif. Observez votre ami devenir plus chaleureux ou votre partenaire devenir plus câlin.

Si vous préférez le blanc, soyez plus proche et plus émotif que vous ne l'êtes normalement. Observez comment votre ami ou votre partenaire devient plus objectif, moins émotif.

Votre ami ou partenaire endossera inconsciemment votre rôle habituel, et il est fort probable qu'il n'aimera pas du tout cela. Après coup, dites-lui ce que vous avez fait. Le fait de comprendre cette puissante communication non verbale renforcera votre relation et vous procurera de bons éclats de rire. Vous prendrez conscience du lien qui vous unit aux êtres chers.

LE LANGAGE DES COULEURS ACHROMATIQUES

Le noir, c'est sentir les émotions

Le noir, c'est l'absence de lumière. Fermez les yeux, et votre conscience se dirigera vers l'intérieur pour ressentir votre passé. Dans l'obscurité, vos pensées considèrent les personnes et les choses qui comptent pour vous. Vous développerez la capacité de connaître vos sentiments et d'évaluer la valeur de chaque personne ou situation.

Le blanc, c'est voir les options

Le blanc, c'est la lumière même. La lumière vous donne la connaissance du monde qui vous entoure. Elle vous accorde la liberté de vous élever au-delà de vous-même ou d'une situation difficile pour apprendre de nouvelles informations. Vous développez la capacité de voir objectivement de nouvelles options pour votre avenir.

Le marron, c'est comprendre l'authenticité

Le marron, c'est l'existence même de la chair. En acceptant, plutôt qu'en fabriquant les réalités marquantes de chaque personne ou situation, vous découvrez leur authenticité. Vous développez la capacité de voir les implications à long terme de chaque action ou décision.

Quand vos couleurs achromatiques changent

Si vous êtes attiré par une nouvelle couleur achromatique, vous remettez en cause le noyau même de votre existence. Si votre couleur achromatique préférée change, vous vous sentirez indécis, comme si vous étiez en terrain instable. Un changement dans la couleur achromatique que vous aimez le moins démontre que vous réévaluez votre perspective de la vie. Ces changements sont temporaires. Ils vous donnent la capacité de rassembler davantage d'informations, mais rendent les décisions difficiles encore plus ardues.

Le questionnaire des couleurs achromatiques

Répondez par vrai ou faux*.

Le noir est leur couleur achromatique préférée

1. Ils s'accrochent à une relation jusqu'au bout. V F
2. Ils ne sont jamais émotifs. V F

Le noir est la couleur achromatique qu'ils aiment le moins

3. Inutile d'exagérer avec eux. V F
4. Lorsque vient le temps de prendre une décision, ils se soucient de ce que vous ressentez. V F

Le marron est leur couleur achromatique préférée

5. Ils peuvent parfois sembler hypocrites. V F
6. Ils peuvent être têtus s'ils veulent quelque chose. V F

Le marron est la couleur achromatique qu'ils aiment le moins

7. Ils adorent dire leur âge. V F
8. Ils peuvent être vierges et vous dire comment avoir une sexualité exaltée. V F

Le blanc est leur couleur achromatique préférée

9. Ils ont inventé la phrase : « J'ai besoin d'espace. » V F
10. Ils font peu de cas de la liberté. V F

Le blanc est la couleur achromatique qu'ils aiment le moins

11. Ils paniquent en cas de changement émotionnel. V F
12. Ils se soucient peu d'être à leur place. V F

* Réponses à la page suivante.

Réponses du questionnaire sur les couleurs achromatiques

Le noir est leur couleur achromatique préférée

1. V Dire au revoir relève du drame pour eux.
2. F Les sentiments sont le moteur de leur vie.

Le noir est la couleur achromatique qu'ils aiment le moins

3. V Votre drame les fera rire.
4. F Quand la décision est définitive, ils sont froids.

Le marron est leur couleur achromatique préférée

5. F Ils sont l'authenticité même.
6. V Ils n'ont jamais surmonté la crise des deux ans.

Le marron est la couleur achromatique qu'ils aiment le moins

7. F S'ils ont plus de 30 ans, ne le leur demandez même pas.
8. V Ils n'admettent pas qu'il faille vivre les choses pour les comprendre.

Le blanc est leur couleur achromatique préférée

9. V Pour eux, « proche » n'est pas très proche.
10. F Elle est essentielle pour eux.

Le blanc est la couleur achromatique qu'ils aiment le moins

11. V Ils figent. Ils en parleront plus tard.
12. F Ils font en sorte que tout ait sa place – même si ce n'est pas possible.

CHAPITRE SEIZE

Les couleurs intermédiaires

Affronter le monde

Je crois que l'avenir n'est que le passé
auquel on accède par une autre porte.

ARTHUR WING PINERO

Le vert chartreuse, le turquoise, l'indigo, le pourpre, l'écarlate et le doré constituent la catégorie des couleurs intermédiaires. Elles représentent la façon dont vous abordez le monde. Ces teintes énergiques vous poussent à agir ou à réagir. Elles vous donnent les différentes perspectives dont vous avez besoin pour diriger votre vie. Préparez-vous à voir les hauts et les bas de votre journée ! Réexaminez vos choix de couleurs intermédiaires en page 17.

Dans ce chapitre, vous apprendrez ce que vos deux couleurs intermédiaires préférées indiquent à propos de l'approche que vous adoptez pour obtenir quelque chose que vous voulez. Lorsque vous vous sentez bien, vos choix révèlent la façon dont vous parvenez à réussir. Vous apprendrez comment votre moi confiant affronte le monde. Réfléchissez à cet aspect de vous-même, et la réussite sera vôtre.

Les deux couleurs intermédiaires que vous aimez le moins représentent les perspectives que vous avez tendance à oublier. Lorsque vous avez les bleus, elles dévoilent ce que vous devez faire mais n'avez jamais envisagé.

Les couleurs intermédiaires indiquent la façon dont vous demandez les choses. Le vert chartreuse, l'indigo et l'écarlate vont de l'avant pour vous informer sur ce qui est requis. Le pourpre, le turquoise et le doré reculent afin de créer un espace qui vous permettra de voir ce qui est nécessaire. Les deux styles peuvent être tout aussi agressifs. En lisant ce chapitre, regardez autour de vous. Amusez-vous à observer les autres lorsqu'ils expriment ces caractéristiques visibles.

LE VERT CHARTREUSE EST VOTRE COULEUR PRÉFÉRÉE

> *Seul un esprit exceptionnel peut décider d'analyser l'évidence.*
>
> ALFRED NORTH WHITEHEAD

- Mots clés : logique, introspectif
- Engage : des façons rationnelles de faire les choses
- Préoccupation : De quoi d'autre ai-je besoin ?

Au début

Vous considérez sans cesse ce qui fait défaut dans votre vie. Vous pensez à ce que vous ressentiriez si vous possédiez certaines choses. Votre sens prononcé de la logique et votre approche pleine de bon sens aide les gens à aller au cœur d'un problème. Même s'ils ne vous demandent pas de les aider, vous finirez par dire aux autres ce qu'ils doivent faire. Cela est parfois si évident que vous ne pouvez pas vous empêcher de le leur dire. Vous dites exactement ce que les gens ont le plus peur d'entendre. Vous reconnaissez les conséquences que vous encourez en évitant les besoins essentiels.

Vous en action

Utilisez votre sens de la logique pour déterminer les questions à poser. Connaître les questions pertinentes est tout aussi important que d'en connaître les réponses. Soyez la personne inventive que vous êtes destinée à être. Ne laissez pas un faux-pas vous empêcher d'être un gagnant. Soyez à l'affût des nouvelles méthodes ou de meilleures façons de faire les choses qui pourront vous guider, vous ainsi que les membres de votre équipe, dans vos projets.

Vos hauts

Votre façon d'envisager constamment ce que vous voulez vous permet de contrôler de manière logique ce que vous commencez. Vous recherchez davantage le changement et l'aventure dans la vie. Lorsque vous entreprenez quelque chose, vous n'abandonnez pas. Vous saisissez tous les détails nécessaires pour réaliser votre vision. Ce talent vous donne un avantage dans les conversations et les relations. Les autres vous perçoivent comme un déclencheur à l'esprit vif.

Vos bas

Vous pouvez être très introverti et vous perdre dans vos pensées. Quand les autres ne voient pas ce que vous avez déjà compris, vous avez l'impression de ne pas être à votre place. Parfois, vous

vous laissez emporter par vos pensées concernant les besoins véritables des autres. Ne soyez pas aussi présomptueux. On ne peut pas toujours avoir réponse à tout et les besoins des autres ne seront pas nécessairement les mêmes que les vôtres. Prenez du recul et réfléchissez à la période qui a précédé votre engagement intense dans un projet ou une relation. Pourquoi l'avez-vous entrepris au départ ? Ensuite, communiquez clairement vos pensées sur ce que vous avez besoin de découvrir. Les autres comprendront plus facilement ce qui doit être bien accompli au sein de votre équipe.

Votre moi séduisant

Au départ, il est difficile de vous approcher. Toutefois, lorsque que vous avez accepté un individu, les émotions prennent le dessus et toute votre logique disparaît. Vous devenez dévoué. Quand vous venez d'entreprendre une relation, votre nature directe vous donne un air sexy. Tout le monde vous remarque quand vous entrez dans une pièce.

Votre force de guérison

Le fait que vous soyez tourné vers l'intérieur encourage les autres à envisager leurs besoins véritables.

LE VERT CHARTREUSE EST LA COULEUR QUE VOUS AIMEZ LE MOINS : VOUS N'ÊTES PAS SYNCHRONISÉ

Vous évitez de regarder en vous-même pour voir ce qui manque à votre vie. Votre refus de faire une introspection peut conduire à la frustration. Vous niez vos besoins si longtemps que vous finissez par exploser.

La bonne nouvelle, c'est que vous pouvez vous retrouver dans diverses aventures. La mauvaise, c'est que ces aventures ne correspondent pas à vos besoins ; elles étaient simplement à votre portée.

Au départ, vous pouvez éviter de rencontrer « l'être parfait » ou de confronter ce que vous attendez de votre partenaire du moment. Puis soudainement, vous faites une nouvelle rencontre ou vous vous sentez accablé par les lacunes de votre relation actuelle. Ce comportement erratique peut vous empêcher de déterminer si ce que vous avez est réellement ce que vous voulez. Cela peut envoyer des messages contradictoires à votre soupirant ou partenaire.

Lorsque vous constatez que vous évitez constamment quelque chose que vous désirez, considérez ce comportement comme un signal d'alarme. Vous devez prendre le temps de réfléchir à vos pensées refoulées. Ce n'est qu'à ce moment que vous découvrirez les joies et les conséquences d'accepter quelque chose de nouveau ou de laisser une nouvelle personne entrer dans votre vie. Une mauvaise synchronicité peut être une grosse perte d'énergie.

LE MAGENTA EST VOTRE COULEUR PRÉFÉRÉE

Une nouvelle route ou une porte secrète
vous attend peut-être au tournant…

J. R. R. Tolkien

- Mots clés : enthousiaste, curieux socialement
- Engage : l'attirance de nouvelles personnes et situations
- Préoccupation : Où et avec qui puis-je être inspiré ?

Au début

Vous vous entourez d'amis qui vous mettent au défi de grandir. Votre esprit est rarement au repos. Vous recherchez l'inspiration et une certaine magie dans vos relations et projets. Le monde vous appartient, et vous savez comment en tirer le meilleur pour vous et pour les autres. Vous avez un désir authentique d'apporter des changements positifs.

Vous en action

Utilisez votre enthousiasme pour régénérer ce que vous êtes et votre entourage. Le fait d'être excité par ce qui vous plaît vraiment déjà déchaîne une passion sans limites. Les possibilités sembleront affluer. Apprenez à vos collègues et aux êtres qui vous sont chers à faire du lèche-vitrine – à observer plutôt que de se jeter sur une personne ou une situation. Ils découvriront de nouvelles avenues qui donneront de meilleurs résultats avec moins d'efforts.

Vos hauts

Vous régénérez les gens. Vous avez le pouvoir de créer de nouvelles possibilités. Votre besoin de faire confiance aux gens les aide à croire en eux-mêmes. Ils réalisent qu'ils peuvent faire ce qu'ils souhaitaient. Vous aidez les autres à voir ce qui fonctionnera pour eux.

Vos bas

Lorsque vous n'établissez pas de priorités, vous entreprenez de nouvelles choses sans terminer ce que vous avez déjà commencé. Bon nombre de vos idées auraient pu être brillantes si elles avaient été pleinement réalisées. C'est de là que vient votre frustration. Pour composer avec celle-ci, vous avez besoin d'aide pour terminer vos tâches. Après tout, vous ne vouliez pas réellement terminer tous ces nouveaux projets que vous aviez commencés, de toute façon. Réfléchissez à vos sentiments. Prenez conscience du fait qu'il n'est pas nécessaire de vous charger de nouveaux projets pour ne pas vous ennuyer. Terminer les choses peut être très excitant et gratifiant. Si vous êtes capable de refuser un nouveau projet, vous avez gagné la moitié de la bataille.

Votre moi séduisant

Il vous arrive d'être surpris par le nombre de personnes que vous attirez. Vous êtes un enchanteur. Votre langage corporel séduit les autres, et vous partez ensemble pour l'aventure.

Vous ne pouvez pas vous empêcher d'entreprendre quelque chose de nouveau dans vos relations. Vous agrémentez les situations sociales d'une certaine ouverture d'esprit et de curiosité. Votre enthousiasme fait de chaque journée un événement.

Votre force de guérison

Votre curiosité encourage les autres à ouvrir leur esprit et à voir les possibilités dans le monde qui les entoure.

LE POURPRE EST LA COULEUR QUE VOUS AIMEZ LE MOINS : VOUS ÊTES MÉFIANT

Vous avez besoin de vous sentir inspiré, mais cela vous est difficile. Vous vous méfiez de la nouveauté. Lorsque vous rencontrez quelqu'un, votre nature curieuse peu mettre mal à l'aise. N'essayez pas d'anticiper la vie. Soyez ouvert à l'idée que les autres sont ce qu'ils semblent être jusqu'à preuve du contraire.

Vous attirez des personnes qui sont inspirées par leur environnement. Leur enthousiasme vous ouvre de nouvelles possibilités. Ils vous forcent à contempler vos propres rêves. Reconnaissez que vous allez entreprendre de nouvelles choses, sans quoi vous perdrez le contrôle.

Lorsque vous manquez d'énergie, toutefois, surveillez votre langage corporel. Si vous n'avez pas envie de faire quelque chose ou d'être avec quelqu'un, il serait préférable pour tout le monde, y compris pour vous-même, de rester chez vous.

Détendez-vous. Osez expérimenter de nouvelles choses. Entourez-vous de personnes inspirantes. Souriez davantage et vous vous surprendrez à vous amuser beaucoup plus. Des nouvelles aventures se présenteront à vous.

LE TURQUOISE EST VOTRE COULEUR PRÉFÉRÉE

Le tact, c'est l'intelligence du cœur.

ANONYME

- Mots clés : valeur sociale, empathie
- Engage : le respect des réalisations
- Préoccupation : Les autres pensent-ils du bien de moi ?

Au début

Vous cherchez à développer votre estime de vous-même. Utilisez vos excellentes aptitudes à communiquer pour comprendre le point de vue des autres. Grand diplomate, vous rassurez les gens avec votre écoute active et vos commentaires positifs. Vous voulez aider les autres à devenir ce qu'ils veulent être. Ce comportement vous donne l'impression d'être important et vous aide à prendre votre place.

Vous en action

Déterminez les compétences requises pour une tâche donnée afin de pouvoir l'accomplir. Souvent, croire en votre propre capacité consiste essentiellement à savoir quoi faire. Il vous suffit de vous concentrer sur l'écoute du rythme positif qui se trouve en vous et chez les autres. Votre conviction transforme comme par magie vos souhaits et ceux des autres en réalités.

Vos hauts

Parfois, vous vous levez le matin et avec la sensation d'être la personne la plus importante du monde. Vous sentez que vous pouvez tout accomplir. Vos rêves vous semblent à portée de la main ; quant à vos réalisations passées, elles deviennent des victoires personnelles dont vous êtes fier.

Vos bas

À d'autres moments, vous avez l'impression d'être sans importance, de ne faire plaisir qu'aux autres, et non pas à vous-même, ce qui peut nuire à votre créativité. Cessez de vous préoccuper de ce que pensent les autres. Soyez honnête avec vous-même. Ayez le courage de dire ce que vous pensez même si les autres n'ont pas envie de l'entendre. Vous gagnerez la confiance et le respect de vos pairs. Ils vous trouveront plus authentique.

Votre moi séduisant

Vous êtes très attachant. Votre sollicitude envers les besoins des autres vous aide à entreprendre de nouvelles relations. Vous essayez de devenir ce que la personne en face de vous recherche. Vous augmentez sa confiance, ce qui vous rend très attirant.

Toutefois, vous vous préoccupez beaucoup de ce que pensent les autres, ce qui peut vous empêcher d'être totalement honnête. Comme vous désirez être accepté, vous dites parfois ce que les gens ont envie d'entendre plutôt que ce que vous ressentez vraiment. Plus tard, ils sont estomaqués de découvrir que vos actions ne reflètent pas vos paroles. En étant prêt à parler de vos propres besoins, vous préparez le terrain afin que les autres se sentent à l'aise avec vous.

Votre force de guérison

Comme vous croyez aux rêves des autres, les autres croient en eux.

LE TURQUOISE EST LA COULEUR QUE VOUS AIMEZ LE MOINS : VOUS ÊTES SCEPTIQUE

Vous travaillez énormément, parce que vous ressentez le besoin de prouver que vous êtes compétent. Vous avez beau vous dire que vous vous fichez de ce que pensent les autres, il ne s'agit que d'un mécanisme de défense.

Lorsque vous ressentez ou exprimez votre scepticisme, vous vous attirez des ennuis et vous regrettez par la suite les paroles ou l'impression que vous avez communiquées. Même si vous aviez raison, qu'y avait-il à gagner en étant négatif?

Les gens savent à quoi s'en tenir avec vous. Bien souvent, cela permet à vos proches de se sentir à l'aise dans leur relation avec vous. Certains autres constateront, parfois pour la première fois, comment vous les percevez. À cause de votre nature franche et sceptique, les autres peuvent avoir de la difficulté à se rapprocher de vous. Donnez aux gens la possibilité d'émettre leur opinion avant même de songer à leur faire part de la vôtre.

Encouragez les autres à réaliser leur rêve même si vous n'y croyez pas. Rappelez-vous : leurs rêves les concernent eux, et pas vous. Appréciez leur énergie positive. Vous envisagerez vos propres souhaits avec plus d'optimisme.

L'ÉCARLATE EST VOTRE COULEUR PRÉFÉRÉE

> *Il existe une route qui va de l'œil*
> *au cœur sans passer par l'intellect.*
>
> G. K. Chesterton

- Mots clés : valeur personnelle, respect de soi
- Engage : le respect de l'individu
- Inquiétude : Suis-je respecté ?

Au début

Vous prônez le droit à la dignité. En vous plongeant dans la vie, vous êtes en mesure de voir ce qui fonctionne et ce qui ne fonctionne pas. Votre capacité à vous engager envers une personne lui inspire de la confiance. Vous appréciez la beauté d'une personne en lui consacrant du temps.

Vous en action

Servez-vous de votre œil de lynx pour observer ce qui se passe autour de vous. Établissez des limites et des normes qui assurent à chacun honneur et respect. En vous dévouant de façon désintéressée pour valoriser les autres, vous n'en ressortez que plus fort. Les autres sentiront votre force et auront la volonté de reconnaître les gens pour ce qu'ils font, et non pas pour ce qu'ils disent ou même pensent. Allez-y. Mettez de l'authenticité dans le monde qui vous entoure.

Vos hauts

Lorsque vous laissez votre esprit s'épanouir et que vous montrez votre sensibilité, vous stimulez votre croissance personnelle. Vous êtes capable d'apprécier ce que vous avez obtenu grâce à vos efforts et de comparer équitablement vos circonstances actuelles avec celles de votre passé. Vous faites fonctionner les choses, même si tous les éléments de la solution ne sont pas réunis.

En faisant des suggestions provocantes sur la façon d'améliorer la vie des autres, vous déployez votre plus grand attribut : une véritable empathie dans vos relations personnelles. Vous appréciez les gens pour ce qu'ils sont.

Vos bas

Dans les situations où vous ressentez un affront personnel ou une injustice envers vous ou quelqu'un d'autre, vous avez tendance à prendre les choses trop à cœur. Même si votre réaction est justifiée, ne devenez pas surprotecteur, critique, voire enragé. La compassion est plus appropriée que la colère. Les gens ont leurs propres problèmes et conséquences à gérer.

Votre moi séduisant

Vous êtes un amant fidèle, ce qui est vital pour votre équilibre. Lorsque les choses ne fonctionnent pas, vous le savez. Vous êtes déterminé à établir la confiance et le respect que vous méritez. Vous avez besoin d'un environnement dans lequel on vous respecte pour ce que vous êtes. Vous êtes comblé lorsque vous avez quelques bons amis et un partenaire qui vous idéalise.

Vous aimez les relations exclusives avec les humains et les animaux parce que vous avez besoin de vivre un amour inconditionnel. Quand vous parlez aux personnes qui vous sont chères, vous les touchez souvent avec vos mains. Toucher vous permet de faire confiance. Soyez prudent, toutefois. Les autres peuvent prendre votre affection pour de l'ardeur sexuelle.

Votre force de guérison

Votre besoin d'être respecté encourage les autres à se respecter eux-mêmes.

L'ÉCARLATE EST LA COULEUR QUE VOUS AIMEZ LE MOINS : VOUS VOUS OUBLIEZ

Vous vous plongez corps et âme dans le soutien que vous offrez à ceux que vous aimez. Vous atteindrez peut-être votre objectif, mais en fin de compte, vous ne comprenez toujours pas ce qui vous rend heureux. Vous arrive-t-il parfois de vous demander où vous vous arrêtez et où les autres commencent ?

Le toucher est très personnel pour vous. Vos réactions comportementales sont mitigées, vous l'acceptez ouvertement ou vous l'évitez en bloc. Toutefois, vous ressentez un besoin émotionnel d'être touché, enlacé et apprécié pour votre beauté intérieure.

Les autres peuvent percevoir votre quête d'affection comme une séduction sexuelle ou un besoin d'attention. Exprimez votre vulnérabilité à ceux qui vous aiment. Vous serez surpris de recevoir beaucoup plus d'amour que de critiques.

Soyez plus sincère avec vous-même. Soyez plus attentif à la personne que vous êtes réellement, et non pas à celle que vous pensez devoir être. Le sentiment de ne pas être aimé disparaîtra et vous serez en mesure d'exprimer votre véritable empathie. Sinon, vous serez perdant et vous vous sentirez comme une victime.

L'INDIGO EST VOTRE COULEUR PRÉFÉRÉE

> *Le monde se retire pour laisser*
> *passer quiconque sait où il va.*
>
> DAVID STARR JORDAN

- Mots clés : conceptuel, confiant
- Engage : des ébauches d'idées constructives
- Préoccupation : Puis-je élaborer un plan viable ?

Au début

Vous cherchez à améliorer l'avenir. Trouver un moyen de transformer vos idées en réalité vous excite, et lorsque vous voyez les choses s'accomplir, c'est l'extase. Cela vous donne confiance en vous.

Lorsque vous vous concentrez sur le développement d'une idée, vous devenez le personnage central et dramatique qui rassemble les gens. Cette franchise fait de vous un leader né. Quand vous êtes en pleine forme, personne ne remet en cause votre autorité.

Vous en action

Servez-vous de votre raisonnement prospectif pour élaborer des projets organisés. Mettez vos doutes de côté et laissez libre cours à votre inspiration. Discutez de vos idées avec votre entourage. Transformez votre concept original en un projet viable basé sur un consensus de ce qui est requis. Puis foncez, en gardant constamment à l'esprit qu'il y a peut-être une meilleure façon d'atteindre votre objectif ou que vous aurez peut-être besoin d'aide. Votre concentration inébranlable suscitera une grande confiance et vous propulsera vers la réussite.

Vos hauts

Vous êtes parfois si confiant que vous avez l'impression de pouvoir sauver le monde. Vous adorez lancer de nouvelles idées et vous garantissez leur succès en tenant compte de tout ce qui pourrait ne pas fonctionner. Vous êtes convaincu que les choses peuvent fonctionner. Vous êtes sur la voie de la réussite. Les autres croient en vous.

Vos bas

Lorsque vous manquez d'énergie, le simple fait de vous faire une tartine devient un acte de courage. Vous n'avez alors aucune confiance en vous et vous vous sentez dispersé. Durant ces périodes, vous avez besoin de beaucoup d'attention. Quand les gens croient en vous, vous commencez à faire de même. Bien souvent, vos amis vous aident à comprendre que votre déception provient d'attentes qui ne sont pas réalistes.

Votre moi séduisant

Vous approchez les choses de façon autoritaire et dramatique, ce qui vous rend très romantique. Cependant, vous êtes parfois en amour avec la notion de l'amour, ce qui peut vous faire percevoir les gens comme vous voulez qu'ils soient et non pas tels qu'ils sont. Au départ, votre partenaire idéal correspondra à toutes vos attentes, mais une fois engagé sur le plan émotionnel, vous le verrez pour ce qu'il est, avec tous ses défauts.

Vous avez tendance à être centré sur vous-même, ce qui peut amener les personnes qui vous aiment à se sentir insignifiantes à vos yeux. Communiquez avec les autres et maintenez des attentes réalistes.

Votre force de guérison

Votre grand besoin de planifier votre vie inspire les autres à investir davantage en eux-mêmes.

L'INDIGO EST LA COULEUR QUE VOUS AIMEZ LE MOINS : VOUS TERGIVERSEZ

Votre style « advienne que pourra » est palpitant, mais il peut vous attirer beaucoup d'ennuis. Vous ne faites pas de projets, ce qui peut être source de chaos et, éventuellement, vous vous sentez quelque peu perdu, sans direction. Les autres peuvent mal interpréter votre comportement nonchalant, ce qui ne fait qu'empirer les choses.

Ne tergiversez pas. Allez-y, planifiez votre avenir. Mais d'abord, il faut vous impliquer davantage. Si vous vous laissez porter par le courant et que vous essayez de maintenir les apparences, vous n'atteindrez jamais vos objectifs. Vous serez incapable de combiner vos ressources et vos talents de façon efficace et vous raterez des choses amusantes.

Au départ, vous avez un rapport puissant, émotionnel avec « la personne de vos rêves ». Vous ne voyez que ce que vous aimez en elle et vous évitez de voir qui elle est réellement. Vous vous laissez emporter par ses projets, ce qui peut vous faire plonger dans de nombreuses situations qui ne sont amusantes qu'en apparence. Ne soyez pas si prompt à agir et évitez les déceptions amoureuses.

Reconnaissez qu'il est plus facile de commencer de nouvelles choses quand vous pouvez visualiser ce que vous voulez. Menez une enquête. Élaborez un projet d'avenir. Dites exactement ce que vous allez faire. Vous deviendrez plus axé sur la réussite et vous vous soucierez moins de l'échec.

LE DORÉ EST VOTRE COULEUR PRÉFÉRÉE

C'est en jouant que l'on découvre sa propre essence.
ANONYME

- Mots clés : débrouillard, enjoué
- Engage : la libération des pensées indésirables
- Préoccupation : Qu'est-ce qui me plaît ?

Au début

La vie est un jeu. Vous exigez un environnement stimulant et le temps pour l'apprécier. Vous réunissez de l'information en rencontrant de nouvelles personnes, en découvrant les pensées de vos amis et en étudiant votre entourage. Armé d'une curiosité vorace, vous découvrez ce que vous voulez et la façon de l'obtenir. Les idées s'assemblent pour créer de nouvelles possibilités.

Vous en action

Utilisez votre prévoyance pour apprécier la valeur de chaque ressource. Examinez de façon enjouée tout ce qui vous entoure. Laissez votre esprit libre d'associer le potentiel d'exploitation des ressources ou des talents. Assurez-vous de marquer une pause pour communiquer la façon dont vous avez établi des liens entre les choses pour en faire des situations viables. Votre esprit vif et votre capacité étonnante à utiliser les ressources peuvent facilement échapper aux autres. Notez la façon dont vous avez créé de nouvelles choses fascinantes à partir de rien, et attendez-vous à de l'admiration.

Vos hauts

Les temps d'arrêt vous permettent d'éliminer les distractions et de redécouvrir ce qui vous plaît. Vous rassemblez l'information de façon méthodique. Vous voyez les vérités de façon impartiale et vous encouragez les autres à parler de ce qui leur plaît. Le fait de vivre mentalement leur passion vous stimule. Vous être par procuration capable d'encourager les gens et de les entraîner dans quelque chose qu'ils ne feraient pas en temps normal.

Vos bas

Votre goût prononcé pour le plaisir vous empêche d'avoir davantage de relations significatives. Élaborer trop de projets peut être une façon d'éviter les questions émotionnelles. Vous êtes tellement occupé à chercher le prochain frisson que vous oubliez souvent d'apprécier ce que vous avez déjà.

Votre moi séduisant

Vous voyez les rencontres et la séduction comme une aventure. Vous vivez différentes situations et vous rencontrez de nouvelles personnes avec un sursaut d'énergie explosif. C'est de cette façon que vous découvrez ce qui est important pour vous dans une relation. Mais si vous n'y prenez pas garde, votre curiosité peut vous mettre dans des situations que vous regretterez plus tard. Suivez votre tendance naturelle à vouloir connaître une personne avant de vous engager sérieusement.

Votre force de guérison

Votre excitation envers le plaisir que vous avez planifié suscite un désir passionné de faire quelque chose de nouveau chez les autres.

LE DORÉ EST LA COULEUR QUE VOUS AIMEZ LE MOINS : VOUS OUBLIEZ CE QUI EST AMUSANT

Vous faites en sorte d'être toujours occupé. Vous avez un emploi du temps rigoureux pour éviter de penser à ce qui ne va pas dans votre vie. Cette cadence infernale consume votre énergie et vous empêche de savoir ce que vous voulez vraiment faire. Les autres peuvent même vous trouver rigide.

Vous attirez les personnes passionnées. Vous écoutez ce qu'apprécient les autres afin de savoir ce que vous pourriez apprécier. Leurs histoires intéressantes ou la passion dans leur voix vous stimulent. Leurs suggestions amusantes vous permettent d'apprécier une journée sans votre agenda. Faites ce que vous trouvez amusant.

Évitez de toujours poser des questions sérieuses. Pensez plutôt à exagérer votre problème au point d'en rire. Vous gagnerez l'objectivité de voir au-delà de tout le travail que vous devez accomplir. Les autres vous trouveront moins autoritaire et plus amusant.

Prenez une journée de congé pour vous détendre et pour vous libérer de toute responsabilité. Allez jouer ! Essayez de ne pas regarder la télévision, de ne pas lire et même de ne pas répondre au téléphone. Au début, vous serez mal à l'aise, mais éventuellement vous bénéficierez d'une conscience intérieure qui éliminera les pensées indésirables et les aléas de votre vie.

COMMENTAIRE DE COULEUR

Êtes-vous plutôt méditatif ou plutôt pragmatique ? Classez les six couleurs intermédiaires ci-dessous par ordre décroissant de préférence (1 = celle que vous aimez le plus, 6 = celle que vous aimez le moins).

Rangée 1 Pourpre_____ Turquoise_____ Doré_____
Rangée 2 Vert chartreuse_____ Écarlate_____ Indigo_____

Maintenant, ne tenez compte que des trois que vous préférez. Combien y en a-t-il dans la rangée 1 ? Dans la rangée 2 ?

Rangée 1 _____ (pourpre, turquoise, doré)
Rangée 2 _____ (vert chartreuse, écarlate, indigo)

Si deux de vos couleurs préférées se trouvaient dans la…

Rangée 1 : vous êtes plutôt méditatif.
Rangée 2 : vous êtes plutôt pragmatique.

Lisez les descriptions suivantes de ce qui constitue une personnalité plutôt méditative ou plutôt pragmatique.

MÉDITATIF

Vous êtes surtout préoccupé par vos pensées. Vous considérez la façon dont une personne ou une situation vous affecte, et vos considérations attirent les gens. En d'autres termes, quand vous pensez à une personne, elle pense aussi à vous. Vous êtes inspirant. C'est particulièrement vrai si vous avez choisi vos trois couleurs intermédiaires préférées dans la rangée 1.

Parfois, il est dans votre intérêt d'agir. Vous ne saurez jamais ce que vous voulez si vous n'essayez pas de le réaliser.

PRAGMATIQUE

Vous préférez agir plutôt que d'attendre que les choses se fassent. En faisant ce que vous voulez faire, vous attirez les personnes qui ont besoin de changement. Votre mouvement constant force aussi les autres à bouger. Vous motivez les gens à agir pour eux-mêmes. Ceci est particulièrement vrai si vous avez choisi vos trois couleurs préférées dans la rangée 2.

Il est parfois dans votre intérêt de laisser la vie venir à vous. Réfléchissez davantage à ce que vous voulez avant d'agir, et votre vie sera plus riche.

Rire fort

Les extrêmes attirent les extrêmes. Lorsque vous vous sentez déséquilibré, vous attirez les personnes et les situations qui vous donnent ou vous apprennent exactement ce que vous avez besoin de savoir. Ces leçons peuvent être inspirantes, déterminantes, voire horrifiantes.

Pensez à la façon dont vos pensées et vos actions ont pu attirer les personnes et les situations les plus fantastiques ou les plus terrifiantes.

Quand vos couleurs intermédiaires changent

Vos couleurs intermédiaires sont celles qui changent le plus. Quand vos objectifs changent, vos choix de couleurs changent aussi la plupart du temps. Si vous êtes très en colère ou très heureux, vous verrez un changement immédiat dans vos préférences de couleurs intermédiaires. Chez la plupart des gens, en revanche, la couleur préférée et la moins aimée restent les mêmes.

LE LANGAGE DES COULEURS INTERMÉDIAIRES

Vous trouverez ci-dessous la description de chaque couleur intermédiaire.

Le vert chartreuse, c'est l'introspection

Le jaune (la recherche d'une perspective réaliste) et le vert (nourricier) donnent du vert chartreuse. Ensemble, ils vous encouragent à questionner ce qui manque dans votre vie.

Le turquoise, c'est croire en votre avenir

Le vert (nourricier) et le bleu (planification de l'avenir) donnent du turquoise. Ensemble, ils vous encouragent à croire en vos rêves et à les nourrir.

L'indigo, c'est élaborer un plan

Le bleu (planification de l'avenir) et le violet (voir les possibilités) donnent de l'indigo. Ensemble, ils vous encouragent à planifier un avenir excitant.

Le pourpre, c'est devenir inspiré

Le violet (voir les possibilités) et le rouge (diriger les ressources) donnent du pourpre. Ensemble, ils vous inspirent et vous aident à embrasser avec enthousiasme le monde qui vous entoure.

L'écarlate, c'est le respect de soi

Le rouge (diriger les ressources) et l'orange (disséquer ce qui ne fonctionne pas) donnent de l'écarlate. Ensemble, ils vous encouragent à respecter votre individualité.

Le doré, c'est la régénération de votre âme

L'orange (disséquer ce qui ne fonctionne pas) et le jaune (la recherche d'une perspective réaliste) donnent du doré. Ensemble, ils vous encouragent à jouer et à découvrir l'essence de vos passions.

Le questionnaire des couleurs intermédiaires

Répondez par vrai ou faux*.

Le vert chartreuse est leur couleur intermédiaire préférée

1. Ils posent beaucoup de questions. V F

Le vert chartreuse est la couleur intermédiaire qu'ils aiment le moins

2. Ils acceptent toujours ce dont ils ont besoin. V F

Le pourpre est leur couleur intermédiaire préférée

3. Ils adorent terminer ce qu'ils ont commencé. V F

Le pourpre est la couleur intermédiaire qu'ils aiment le moins

4. Il est difficile de les inspirer. V F

L'écarlate est leur couleur intermédiaire préférée

5. Ils peuvent s'intéresser à la haute société. V F

L'écarlate est la couleur intermédiaire qu'ils aiment le moins

6. Ils recherchent l'amour inconditionnel. V F

Le turquoise est leur couleur intermédiaire préférée

7. Ils ont une grande capacité d'écoute. V F

Le turquoise est la couleur intermédiaire qu'ils aiment le moins

8. Ils travaillent toujours plus dur pour reconnaître leurs réalisations. V F

* Réponses aux page 231 et 232.

L'indigo est leur couleur intermédiaire préférée

9. Ils ont l'air très sûrs d'eux. V F

L'indigo est la couleur intermédiaire qu'ils aiment le moins

10. Ils ne cherchent pas à planifier l'avenir. V F

Le doré est leur couleur intermédiaire préférée

11. C'est le travail qui compte, pas le plaisir. V F

Le doré est la couleur intermédiaire qu'ils aiment le moins

12. Ils sont très occupés. V F

Réponses du questionnaire sur les couleurs intermédiaires

Le vert chartreuse est leur couleur intermédiaire préférée

1. V Ils ont besoin de connaître tous les faits.

Le vert chartreuse est la couleur intermédiaire qu'ils aiment le moins

2. F Non, non, non. À moins que ce soit oui, oui, oui ?

Le pourpre est leur couleur intermédiaire préférée

3. F La nouveauté est plus amusante.

Le pourpre est la couleur intermédiaire qu'ils aiment le moins

4. V Leur nature méfiante peut frôler la paranoïa.

L'écarlate est leur couleur intermédiaire préférée

5. F Quelques bons amis sont plus importants qu'une bouteille de champagne chère.

L'écarlate est la couleur intermédiaire qu'ils aiment le moins

6. V Ils cachent bien leur jeu.

Le turquoise est leur couleur intermédiaire préférée

7. V La communication leur vient naturellement.

Le turquoise est la couleur intermédiaire qu'ils aiment le moins

8. V Même être le président des États-Unis ne leur suffirait pas.

L'indigo est leur couleur intermédiaire préférée

9. V Beaucoup plus qu'ils ne le sont en réalité.

L'indigo est la couleur intermédiaire qu'ils aiment le moins

10. V Cela les terrifie.

Le doré est leur couleur intermédiaire préférée

11. F Quand on les laisse seuls, il y a de l'orage dans l'air.

Le doré est la couleur intermédiaire qu'ils aiment le moins

12. V S'amuser requiert beaucoup de travail.

QUATRIÈME PARTIE

Faire de chaque moment une célébration de vous-même

CHAPITRE DIX-SEPT

Changez votre vie, pas ce que vous êtes

On ne peut séparer le bien du mal,
et peut-être n'est-ce pas nécessaire.

JACQUELINE KENNEDY ONASSIS

Vous avez besoin de toutes les couleurs. Ayez le courage de chérir et d'accepter les quinze dont traite ce livre. Laissez-les vous guider. Vous gagnerez de la force – un équilibre intérieur plus centré, plus fort. Votre nouvelle conscience vous donnera l'énergie de faire de votre vie une aventure passionnée.

Vous approchez de la fin de votre voyage d'autonomisation. Tout en lisant, observez la façon dont le pouvoir implicite de chaque couleur affecte les aspects compliqués de votre vie.

Dans ce chapitre, vous considérerez avec attention les couleurs que vous préférez afin de voir vos forces. Regardez à nouveau, et vous verrez où vous êtes borné, voire arrogant.

Vous examinerez également les couleurs que vous aimez le moins afin de célébrer ce que vous avez appris de vos expériences passées. Ces couleurs vous indiqueront aussi les domaines de votre vie dans lesquels vous vous sentez mal à l'aise.

La vérité est simple

La vérité est toujours simple. Si vous croyez être compliqué, vous évitez probablement les mécanismes internes fascinants de votre personnalité. Concentrez-vous sur ce que vous ressentez, et non pas sur ce que vous pensez ou faites ni sur ce que disent les autres.

Ne laissez pas les expériences passées obscurcir votre perspective. Si vous sentez qu'une relation ou une situation est difficile à comprendre, c'est que vous ne réalisez ou n'acceptez pas tous les faits.

Instaurez un dialogue

L'objectif du Système de couleurs Dewey est de vous faire prendre conscience de la façon dont vous établissez la priorité des valeurs et des objectifs de votre vie. En comprenant les récompenses et les conséquences générées par votre façon d'identifier vos priorités, vous arrivez à gérer et à diriger votre personnalité, à vous concentrer sur vos passions et à prendre conscience de votre potentiel.

Instaurez un véritable dialogue. Parlez avec vos enfants, votre époux, vos parents ou vos collègues de leurs couleurs préférées. Comprendre leur façon d'identifier leurs priorités dans la vie vous permettra d'être plus tolérant envers les aspects qui vous dérangent et plus appréciatif de leur contribution à votre apprentissage.

LE DÉCOMPTE DES COULEURS

Vous êtes sur le point d'expérimenter le décompte des couleurs, un résumé condensé mais approfondi des quinze couleurs. Vos couleurs et vos priorités dans la vie sont identiques. La couleur a simplement été utilisée comme moyen d'accéder à vous sans les interférences du langage.

En réexaminant le grand pouvoir de chaque couleur dans le Système de couleurs Dewey, sentez la passion et le pouvoir qui vous anime. Servez-vous de ce résumé établi en fonction de l'ordre du spectre des couleurs pour mieux relier vos pensées entre elles et rehausser votre qualité de vie.

En lisant le décompte des couleurs, gardez à l'esprit l'ordre dans lequel vous avez choisi vos couleurs, car il détermine la façon dont vous effectuez les changements qui vous aident à vous assumer. Vous obtiendrez des indications pertinentes qui vous aideront à mieux diriger et gérer votre vie.

LES QUINZE GRANDS POUVOIRS

Vert chartreuse	Questionnez-le.
Vert	Soyez-le.
Turquoise	Croyez-le.
Bleu	Rêvez-le.
Indigo	Planifiez-le.
Violet	Pensez-le.
Pourpre	Inspirez-le.
Rouge	Exprimez-le.
Écarlate	Respectez-le.
Orange	Changez-le.
Doré	Jouez-le.
Jaune	Sachez-le.
Noir	Ressentez-le.
Marron	Réalisez-le.
Blanc	Voyez-le.

> *Le but de la vie, c'est de s'épanouir. Réaliser à la perfection notre propre nature, voilà pourquoi chacun d'entre nous est ici. De nos jours, les gens ont peur d'eux-mêmes.*
>
> OSCAR WILDE

Le pouvoir du vert chartreuse : questionnez-le

Le vert chartreuse vous donne la force de vous questionner sur ce qui manque à votre vie. Suscitez vos passions en laissant parler votre voix intérieure. Vous découvrirez comment vous désirez vous sentir. Le fait de vous questionner vous donne le pouvoir de savoir exactement ce que vous devez faire.

Explorer vos pensées, ce n'est pas les embrasser. N'ayez pas peur d'avouer vos réflexions cachées et choquantes, qui ne sont que des indices qui vous aideront à mieux vous comprendre.

LE VERT CHARTREUSE ET VOUS

Plus vous aimez le vert chartreuse, plus vous vous questionnez sur ce qui manque à votre vie.

Moins vous aimez le vert chartreuse, plus vous évitez d'explorer ce qui manque à votre vie.

VOYEZ AU-DELÀ DE VOS PENSÉES CHOQUANTES

Des pensées comme : « Il faut que je divorce », « Personne ne m'aime » ou « Je suis fainéant » ne représentent pas forcément ce que vous ressentez réellement. Voyez au-delà de ces pensées et examinez vos besoins fondamentaux. Comprendre ce qui vous passionne alimentera votre moteur.

Tout commence – et s'arrête – avec vous. Vous pouvez voyager dans le monde entier, déménager d'une ville à l'autre ; mais où que vous alliez, vous créerez le même monde. Le fait de connaître vos désirs génère une énergie assurée, positive. Les autres vous trouveront fascinant et ils auront l'impression de vous connaître, même lorsqu'ils vous rencontrent pour la première fois.

ENLEVEZ LES TOILES D'ARAIGNÉE

Allez au bout de chaque pensée avant de passer à la suivante, sans quoi vous vous disperserez. Imaginez ce que vous ressentiriez si vous faisiez ce à quoi vous pensez. Maintenant, réfléchissez à nouveau. Avez-vous réellement besoin de mettre cette pensée à exécution ? Ayez l'esprit aiguisé. Suivez chaque pensée ou monologue intérieur jusqu'à sa conclusion.

Le pouvoir du vert : soyez-le

Le vert vous procure une meilleure compréhension de vous-même. Soyez fidèle à l'enfant qui est en vous en prenant le temps de vous assurer que votre moi intérieur se porte bien. Vous bénéficierez d'une force intérieure capable de créer un monde plus favorable, plus attentionné.

Explorez ce vrai « vous » en oubliant vos besoins immédiats et ceux des autres. Il n'y aura que vous. Vous serez en mesure de constater ce qui vous met à l'aise, vous et les autres. Cette conscience accrue vous donnera le pouvoir d'être vous-même ou de détecter ce dont les autres ont besoin pour être eux-mêmes.

LE VERT ET VOUS

Plus vous aimez le vert, plus vous êtes conscient du soutien dont vous et les autres avez besoin.

Moins vous aimez le vert, moins vous êtes conscient de ce dont vous et les autres avez besoin pour avoir du soutien.

TROUVEZ UN REFUGE

Trouvez un parc, une plage, une pièce particulière ou un café tranquille où vous pouvez contrôler le dialogue que vous avez avec vous-même. Que voulez-vous réellement ? Soyez spécifique. Que gagnez-vous ? Que perdez-vous ? Ne vous retenez pas. Faites remonter tous vos désir défendus à la surface. Les réprimer est une perte de temps et d'énergie.

Apprenez à connaître le « je » qui est en vous. Commencez toutes vos pensées par « je ». Exemple : « J'aide mon amie parce que je veux qu'elle réussisse », plutôt que « Elle a des ennuis, alors il faut que je l'aide. » Dans la plupart des cas, vous faites ce que vous voulez faire. Reconnaissez-le, et vous verrez les contributions que vous apportez au monde.

SOYEZ RESPONSABLE

Faire de vous le centre de votre vie peut être à la fois très excitant et très angoissant. Soudainement, vous n'êtes responsable que de vous-même. Si le sentiment qu'on a besoin de vous vous empêche d'être en paix avec une pensée aussi égoïste, allez plus loin. Parlez-vous comme si vous étiez un enfant. Vous serez plus à l'aise avec vous-même.

Tout le monde y gagne quand vous dites ce que vous voulez. Ne soyez pas aussi poli. Souvent, il ne s'agit que d'un simple mécanisme pour éviter d'affronter vos sentiments ou une situation donnée. Dites-vous exactement ce que vous attendez de la vie.

DÉVELOPPEZ VOTRE CAPACITÉ D'ÉCOUTE

Laissez vos pensées se concentrer exclusivement sur les autres personnes. Vous finirez par comprendre qui ils sont avant de vous considérer vous-même. Le fait de donner toute votre attention aux autres est un grand compliment. Grâce à vous, ils seront à l'aise et en mesure d'être eux-mêmes. Hop ! Tout à coup, vous verrez aussi qui ils ont réellement besoin d'être.

EXAMINEZ VOTRE COULEUR PRÉFÉRÉE

Maintenant, notez votre couleur préférée et énumérez trois adjectifs qui décrivent pourquoi vous aimez cette couleur.

Couleur préférée	**Adjectifs**
____________________	1. ____________________
	2. ____________________
	3. ____________________

Ne s'agit-il pas de la description de ce dont vous avez besoin pour être vous-même ? Maintenant, regardez autour de vous. Où l'obtenez-vous ? Où ne l'obtenez-vous pas ?

Le pouvoir du turquoise : croyez-le

Le turquoise vous inspire à croire en vos aspirations. Laissez-vous emporter. Souhaitez et souhaitez encore jusqu'à ce vous croyiez en votre capacité d'accomplir vos rêves. Croyez en vos souhaits et vous aurez le pouvoir de croire en vous.

Ne vous jugez pas en fonction de qui vous êtes maintenant, car vous êtes aussi la personne que vous rêvez d'être ! Interrogez les autres sur leurs rêves. Maintenant, fermez les yeux et visualisez les vôtres. Devenez inspiré.

LE TURQUOISE ET VOUS

Plus vous aimez le turquoise, plus vous pouvez apprécier vos progrès dans la réalisation de vos rêves.

Moins vous aimez le turquoise, plus il vous est difficile de sentir que vous êtes capable de réaliser vos rêves.

MOTIVEZ VOTRE JOURNÉE

Ce que vous vous dites a beaucoup d'importance. Au réveil, demandez-vous : « Qu'est-ce qui me passionne ? » Après le petit-déjeuner : « Qu'est-ce que je peux faire, et ne pas faire, aujourd'hui ? » À la fin de la journée : « Qu'est-ce que j'ai accompli de formidable aujourd'hui ? »

En reconnaissant régulièrement ce que vous accomplissez, vous pouvez transformer même une situation négative en aventure positive et constructive. Croyez en vos capacités et rien ne pourra vous ralentir.

DANSEZ CHAQUE JOUR

Quand vous écoutez une chanson, vous entendez la mélodie, puis les paroles. Laissez votre passion de faire ce dont vous avez envie être la mélodie de votre vie. Soyez à l'écoute de vous-même et même vos chansons les plus lentes acquerront un tempo plus accéléré. Au bout d'un moment, vous danserez.

Protégez le rythme inhérent à votre esprit. Cela vous permettra d'apprécier ce que vous accomplissez. Demandez-vous : « Qui suis-je ? » Écrivez vos pensées. Proclamez-les chaque matin au réveil. Vous aurez foi en vous, et vous serez mieux disposé à accomplir votre rêve.

QUI DÉSIREZ-VOUS ÊTRE ?

Nommez la personne que vous admirez le plus. Maintenant, énumérez trois adjectifs qui reflètent l'admiration que vous avez pour cette personne. Écrivez vos réponses ci-dessous.

Personne que vous admirez	**Adjectifs**
____________________	1. ____________________
	2. ____________________
	3. ____________________

N'est-ce pas aussi la personne que vous aimeriez être ? Sinon, réexaminez le tout. Essayez-vous de faire plaisir à quelqu'un d'autre que vous-même ? Cessez de faire semblant. Faites votre propre vœu.

Le pouvoir du bleu : rêvez-le

Le bleu vous aide à imaginer. Élargissez votre esprit en vous concentrant sur votre avenir. Rêvez. Vous bénéficierez d'une discipline mentale et vous serez capable d'imaginer une vie plus belle.

Fixez-vous un objectif défini. En évaluant régulièrement votre avenir, vous resterez sur le droit chemin. Le mot d'ordre : concentration. Ne fléchissez pas tant que vous n'êtes pas devenu votre aspiration. Les autres verront votre courage comme de l'assurance et voudront faire partie de votre équipe.

LE BLEU ET VOUS

Plus vous aimez le bleu, plus vous êtes optimiste quant à la réalisation de vos rêves.

Moins vous aimez le bleu, plus vous êtes pessimiste quant à la réalisation de vos rêves.

PRENEZ DES RISQUES

N'ayez pas peur. Dites-vous que vous réaliserez votre rêve. Vous rappelez-vous un moment de votre vie où vous vous êtes vraiment dépassé ? N'était-ce pas excitant ? Recréez cette sensation. Dites-vous que vous ferez de votre rêve une réalité. La jouissance anticipée de cette réalisation vous inspirera. Il y aura de la magie dans votre vie.

Emmenez vos rêves au prochain niveau. Ne vous laissez pas influencer par une situation distrayante ou des désirs qui mineront votre pouvoir. Tracez votre propre parcours. Suivez votre régime, réduisez ou cessez la cigarette et ne rappelez pas le crétin qui vous manque.

SOYEZ CONCLUANT

Avancez vers la réalisation de votre vision en éliminant le trop plein d'amis, d'attentes ou de circonstances qui exigent votre attention, car ils épuiseront votre énergie mentale. Faites une chose à la fois. Devenez maître de votre avenir. Terminez chaque objectif.

SENTEZ VOTRE AVENIR

Les rêves d'aujourd'hui sont les actions de demain. Soyez conscient de vos sentiments et de vos pensées. Si vous vous sentez mal à l'aise, c'est probablement que quelque chose ne fonctionne pas. Souciez-vous moins des réponses que des questions à poser. Laissez-les vous guider vers la réussite. N'hésitez pas. Rappelez-vous que sans engagement, il n'y a pas de décision possible.

Le fait de terminer les déclarations du type « Mon objectif est de… » vous maintiendra sur la bonne voie. Vous verrez les détails importants. Faites preuve de souplesse. Voyez d'abord en quoi une suggestion ressemble à la vôtre avant de déterminer en quoi elle en diffère. Cette ouverture d'esprit vous rendra plus astucieux et davantage capable de bien faire votre travail et plus rapidement.

PROCLAMEZ TOUS VOS RÊVES

Exprimez tous vos rêves. Expliquez-les clairement en remplissant les espaces ci-dessous.

Carrière :
Dans cinq ans, je serai______________________________
____.
Dans dix ans, je serai______________________________
____.

Relations :
Je m'entourerai de ______________________________
____________________.

(Faites la liste des personnes que
vous respectez et qui vous respectent.)

Spiritualité : Je serai plus fidèle à moi-même en respectant ma capacité à être __________, __________ et __________.

(Faites la liste de vos plus grandes qualités.)

Le pouvoir de l'indigo : planifiez-le

L'indigo vous donne des perspectives éclairées vous permettant d'élaborer des projets viables. Plongez-vous dans chaque ingrédient dont vous pourriez avoir besoin pour mener votre idée à terme. Vous aurez le pouvoir de créer un avenir à la fois orchestré et excitant.

Concentrez-vous constamment sur la façon exacte dont vous pouvez atteindre votre objectif plutôt que sur l'éventualité de l'atteindre. Réfléchissez à la raison pour laquelle vous devez faire telle ou telle chose pour mener votre projet à terme, et vous serez capable d'adopter une façon meilleure ou plus facile de procéder ; un raccourci vers votre rêve.

L'INDIGO ET VOUS

Plus vous aimez l'indigo, plus vous croyez en votre capacité de conceptualiser de nouvelles idées.

Moins vous aimez l'indigo, plus vous avez du mal à croire que vous avez besoin de faire un plan.

SOYEZ À LA HAUTEUR

Ayez toujours une longueur d'avance sur vos échéances en payant vos factures à temps, en décidant à l'avance de ce que vous allez préparer pour le dîner ou avec qui vous allez passer votre temps. Soyez maître de votre vie ou c'est votre vie qui vous contrôlera. Planifiez, cela vous permettra de modeler votre avenir à votre image.

Notez dans un calendrier ce que vous allez faire chaque jour pour améliorer vos relations, vous amuser ou augmenter votre compte en banque. Le temps que vous sacrifiez aujourd'hui vous offrira un meilleur avenir. Investissez en vous-même. Vous pouvez acquérir des richesses, peut-être une belle maison, voire une vie amoureuse plus riche.

PLANIFIEZ UN NOUVEAU VOUS

Créez une vision de votre avenir. Énumérez trois objectifs que vous voulez atteindre cette année.

1. ______________________________.
2. ______________________________.
3. ______________________________.

Maintenant, faites un plan pour réaliser chacun d'entre eux. Par exemple :

Mes objectifs	**Mes plans**
1. Une carrière agréable	Me concentrer à trouver un nouvel emploi
2. Un espace intérieur plus profond	Me préoccuper plus des autres
3. Plus d'argent	Moins dépenser et investir

1. ______________________________.
2. ______________________________.
3. ______________________________.

Le secret pour rester concentré, c'est de vous enthousiasmer pour votre projet et non pas pour votre objectif. Partez du principe que vous allez y arriver, et vos inquiétudes se modifieront.

Elles diminueront. L'opinion des autres et les dilemmes du moment vous gêneront moins.

Le pouvoir du violet : pensez-le

Le violet donne la capacité de voir de nouvelles possibilités, idées et stratégies pour vous et pour les autres. Soyez à l'écoute de vos émotions. Vous y découvrirez une grandeur que vous n'auriez pas soupçonnée. Vous aurez le pouvoir personnel de créer quelque chose d'original.

Battez-vous pour vos convictions. Ne soyez pas pressé. Imaginez que vous avez cinq ans pour atteindre votre objectif. Maintenant, quelles sont les possibilités ? Laissez-vous émouvoir. Déterminez vos limites à l'avance, afin ne pas avoir de réserves quant à ce que vous devez faire. Une fois que c'est fait, allez-y à fond, de tout votre cœur. En manifestant vos aspirations, vos rêves se réaliseront, quoi qu'il arrive.

LE VIOLET ET VOUS

Plus vous aimez le violet, plus vous êtes enclin à la contemplation et à l'examen de conscience.

Moins vous aimez le violet, plus vous êtes susceptible de nier vos capacités.

SOYEZ FIDÈLE À VOUS-MÊME

Accordez-vous un peu de silence. Créez un espace calme pour écouter vos voix intérieures. Non, vous n'êtes pas fou, et ces voix ne sont pas des monstres qui essaient de diriger votre vie. Ce sont vos émotions. Portez une attention particulière au thème latent de leur discours.

Soyez sensible à l'excitation qui pointe dans votre propre voix. C'est révélateur de ce que vous aimez vraiment faire – ce qui, bien sûr, est ce que vous faites le mieux. Maintenant, regardez autour de vous. Imaginez qui d'autre vous pourriez être. Envisagez toutes les possibilités. Laissez votre cœur, et non pas votre tête, s'exprimer. Vous réveillerez le géant qui sommeille en vous.

CRÉEZ UNE SITUATION OÙ TOUT LE MONDE GAGNE

Commencez par le commencement en mettant cartes sur table. Examinez vos propres motivations. Ensuite, tenez compte de la perspective des autres ou de ce qu'exige la situation. C'est seulement alors que vous arriverez à un compromis. Demeurez motivé. Exprimez ce que vous pensez et incitez les autres à en faire autant.

Il n'y a échec que lorsque vous abandonnez. Même un « non » définitif peut devenir un « oui ». Quand vous êtes rejeté ou que vous n'arrivez pas à obtenir ce que vous voulez, demandez-vous pourquoi vous teniez tant à cela. Maintenant, regardez autour de vous. Pouvez-vous l'obtenir ailleurs ? Continuez à chercher jusqu'à ce que vous trouviez la même façon, voire une meilleure façon, d'atteindre votre objectif. N'abandonnez jamais, et vous n'échouerez jamais.

Le pouvoir du pourpre : inspirez-le

Le pourpre vous inspire à entreprendre quelque chose de nouveau avec enthousiasme. Si vous êtes ouvert au monde, le monde sera ouvert à vous. Votre esprit de pionnier vous aidera à attirer de nouvelles possibilités.

Créez une étincelle. Commencez par vous débarrasser de vos pensées sceptiques. Concentrez-vous plutôt sur l'excitation que peut susciter une personne ou un endroit en particulier. Laissez votre curiosité et votre envie de nouveauté diriger l'instant présent. Votre nouveau langage corporel dynamique attirera positivement tout ce que vous désirez.

LE POURPRE ET VOUS

Plus vous aimez le pourpre, plus vous êtes inspiré par votre environnement.

Moins vous aimez le pourpre, plus vous vous méfiez de la nouveauté.

SOURIEZ

Un sourire, c'est inspirant. Cela génère de nouvelles situations stimulantes. En vous remémorant le plaisir que vous avez éprouvé lors des projets passés, vous arrivez à relancer votre journée. Laissez simplement votre curiosité naturelle se porter sur quelque chose de nouveau. Les autres le sentiront, et vos sentiments attireront l'aventure que vous recherchez.

Rendez chaque journée excitante. Laissez le monde vous divertir, mais ne vous emballez pas. Assurez-vous que ce que vous ressentez correspond à ce que vous désirez à long terme. L'enthousiasme est puissant ; il peut même vous pousser à entreprendre des choses que vous n'aviez jamais eu l'intention de faire.

COMMENCEZ-VOUS SOUVENT DE NOUVELLES CHOSES ?

Prenez un miroir et placez-le près de votre téléphone.

Regardez vos expressions pendant que vous parlez.

Souriez-vous tout le temps ? Hop ! Les choses se produisent comme par enchantement !

Vous ne souriez jamais ? Détendez-vous ! Ne soyez pas aussi méfiant.

LES GRANDS SOURIRES GAGNENT

Votre langage corporel est plus puissant que vous ne le pensez. Pour vous amuser, jouez à ce jeu avec un ami. Regardez-le et dites-lui avec un grand sourire : « Tu es con. » Si vous lui faites un grand sourire, il va vous sourire aussi !

Si vous vous ennuyez dans une fête, c'est généralement que vous ne vous sentez pas bien. Allez à la salle de bains ou éloignez-vous de la foule. Chassez vos pensées négatives, puis exercez-vous à sourire et retournez-y. Regardez autour de vous. Intéressez-vous à quelqu'un. Décochez-lui votre plus beau sourire et vous commencerez à vous amuser.

Le pouvoir du rouge : exprimez-le

Le rouge vous donne la connaissance pratique et le pouvoir expressif de diriger votre vie. Dites ce que vous pensez. Dites au monde qui vous êtes et ce que vous voulez. Vous aurez le pouvoir de faire en sorte que votre vie et les choses qui vous entourent fonctionnent.

Soyez spécifique. Faites savoir aux autres ce qu'ils peuvent attendre de vous et ce que vous attendez d'eux. Parlez-leur de vos forces, de vos faiblesses et des domaines dans lesquels vous avez besoin d'aide pour réussir. Dites à votre patron que vous êtes capable de faire votre travail et dites à votre partenaire ce dont vous avez besoin pour être plus heureux. Votre monde tournera davantage autour de ce que vous exigez pour réussir.

LE ROUGE ET VOUS

Plus vous aimez le rouge, moins vous tolérez l'échec et l'incompétence.

Moins vous aimez le rouge, plus vous tolérerez des choses qui ne vous plaisent pas.

SOYEZ SPÉCIFIQUE

Devenez maître de votre environnement ou celui-ci vous contrôlera. Que faites-vous en ce moment ? Est-ce exactement ce que vous devez faire ? Sortez votre loupe et examinez toute pensée ou activité qui requiert votre temps. Dirigez votre énergie vers les personnes et les situations qui méritent votre attention. Les autres sentiront votre énergie ; ils sauront que vous ne songez pas à vous amuser.

Dites précisément aux autres ce que vous pouvez ou ne pouvez pas faire. Vous serez alors capable de produire ce qu'ils attendent : la réussite. Si vous n'êtes pas direct et spécifique ou s'ils s'acharnent à se concentrer sur eux-mêmes, ils peuvent percevoir des « faits » à votre sujet qui sont erronés.

DITES-LE... ET AVEC FORCE !

Au cours des 24 années que j'ai passées dans domaine de la gestion de personnel, j'ai rencontré beaucoup de directeurs des ressources humaines qui avaient les capacités d'être le directeur général ou le P.D.G. de leur entreprise. Ils n'ont toutefois jamais été promus à ces fonctions, car leur présentation trop modeste d'eux-mêmes était perçue comme manquant de prestance.

Le fait d'exprimer qui vous êtes, que ce soit dans les situations professionnelles ou personnelles, permet aux autres de savoir ce que vous êtes de capable faire. Si vous ne dites pas aux autres qui vous êtes, ne vous attendez pas à ce qu'ils le sachent. Que cela vous plaise ou non, vous serez perçu comme la personne que vous dites être. Hop ! En fin de compte, la perception des autres n'est-elle pas identique à la perception que vous avez de vous-même ? Montez le volume. Faites des déclarations fortes et catégoriques.

Le pouvoir de l'écarlate : respectez-le

L'écarlate vous inspire le respect de vous-même et vous fait honorer votre individualité. Or, pour se respecter, il faut avant tout apprécier ceux qui nous entourent. Honorez ceux qui vous aiment et vous respectent, et vous aurez le pouvoir de vous honorer vous-même.

Trouvez du temps pour les personnes et les choses qui vous tiennent à cœur. Dirigés, vos efforts seront efficaces et vous montrerez aux autres combien vous vous souciez d'eux. Considérez les gens et les questions auxquels vous pensez. Sont-ils les plus importants dans votre vie ? Si ce n'est pas le cas, ressaisissez-vous.

L'ÉCARLATE ET VOUS

Plus vous aimez l'écarlate, plus vous honorez votre individualité.

Moins vous aimez l'écarlate, plus il vous est difficile de vous distinguer de la société.

PRENEZ DU TEMPS POUR CE QUI EST IMPORTANT

J'ai la même gouvernante depuis plus de 25 ans. Mes amis l'adorent pour son poulet frit. Un jour, je lui ai demandé le secret de son délicieux poulet, et elle m'a répondu : « Je sais à quel moment le retirer du feu. » En d'autres mots, la tâche était suffisamment importante à ses yeux pour qu'elle consacre son temps à surveiller la cuisson.

Les enfants connaissent bien l'importance du temps. Ils savent instinctivement, aussitôt qu'ils vous aperçoivent, combien vous les aimez. Prenez le temps de sentir le cœur de chacun. En prenant le temps de tisser des liens avec l'humanité qui anime chaque personne, vous n'obtiendrez pas systématiquement une récompense, mais en fin de compte, vous recevrez beaucoup plus d'amour que vous n'en avez donné.

RESPECTEZ-VOUS

Demandez-vous : « Les personnes que j'écoute m'écoutent-elles aussi ? Les personnes que j'aime m'aiment-elles aussi ? » Quand vous donnez aux autres en pensant à leurs besoins ou en étant avec eux, vous leur faites le plus précieux des cadeaux – votre temps. Ils deviennent importants à vos yeux. Êtes-vous tout aussi importants pour eux ? Sinon, pourquoi continuer ? Dirigez vos émotions et votre temps vers ceux qui vous portent un amour sincère.

LAISSEZ VOTRE CŒUR VOUS GUIDER

Qui vous manquerait ? Faites comme si c'était la fin du monde et que vous ne pouviez sauver que votre famille et cinq autres personnes que vous aimez. Réfléchissez à ces personnes.

Maintenant, écrivez ou dites à chacune d'elles pourquoi vous l'aimez. Son appréciation sincère sera gratifiante. Votre esprit se prélassera sous le plus beau des soleils : l'amour.

Le pouvoir de l'orange : changez-le

L'orange facilite les changements positifs. Il vous permet de vous dissocier de vos propres attentes, et par conséquent de clarifier une situation. Vous gagnez le pouvoir d'éliminer ou de changer l'orientation des situations et des relations sans issue.

Soyez réaliste dans vos promesses et vos attentes. Tout le monde y gagne si vous êtes réaliste quant à ce que vous êtes capable ou non de faire. Combien de temps mettrez-vous à le faire ? Avez-vous suffisamment de temps ? Réévaluez fréquemment ce que vous attendez de vous-même et des autres. Lorsque vous estimez que vous travaillez trop ou que vous êtes trop sérieux, demandez à votre entourage : « Que puis-je faire d'autre ? »

L'ORANGE ET VOUS

Plus vous aimez l'orange, plus il vous est facile de vous dissocier de vos attentes pour voir la vérité d'une situation.

Moins vous aimez l'orange, plus vous avez tendance à attendre de vous-même davantage que vous ne pouvez fournir.

FAITES CE QUE VOUS DITES

J'ai entendu par hasard à Atlanta une amie dire à sa tante qu'elle pourrait être en Virginie-Occidentale d'ici 19 h, à temps pour le dîner. Quand je lui ai demandé: « Comment comptes-tu aller d'Atlanta à la Virginie-Occidentale en huit heures ? », elle a répondu, sur la défensive : « Je conduis très vite. » J'ai insisté pour que l'on regarde ensemble le kilométrage.

Nous avons calculé qu'en roulant à 195 km/h sans s'arrêter, elle arriverait à 4 h le lendemain matin. Elle était sur le point de décevoir sa tante et d'échouer, malgré toute la meilleure volonté du monde.

SOUS-PROMETTEZ, SUR-FOURNISSEZ

Plutôt que de vous échiner à faire fonctionner une situation ou une relation, demandez à votre entourage : « Que puis-je faire d'autre ? » Si vous êtes sincère, ils vous le diront. Petit avertissement : si quelqu'un vous dit que tout va bien et qu'il a l'air mal à l'aise, posez-lui la question de nouveau.

Reconnaissez le temps nécessaire pour accomplir une chose avant de promettre que vous allez le faire. Il est préférable pour tout le monde, vous y compris, que vous disiez dès le départ ce que pouvez et ne pouvez pas faire. Ha ! Pourquoi ne pas être merveilleux ? Promettez moins que ce vous croyez être en mesure de pouvoir fournir. Maintenant, vous pouvez respirer.

Le pouvoir du doré : jouez-le

Le doré vous donne le pouvoir de redécouvrir ce qui vous procure du plaisir. Allumez votre feu intérieur. Donnez-vous le temps de faire ce qui vous fait du bien. Jouez. Votre nouvelle conscience des personnes et des situations excitantes vous donnera le pouvoir de vous débarrasser des pensées indésirables et de sortir de situations négatives.

Votre perspective nouvelle, insouciante et plus passionnée inspirera la confiance et attirera des amis et des affaires. En ne faisant toujours que ce que vous devez faire, vous allez user vos piles. Faites ce que votre cœur désire, et votre énergie grandira.

LE DORÉ ET VOUS

Plus vous aimez le doré, plus vous savez comment utiliser vos ressources pour créer de nouvelles choses.

Moins vous aimez le doré, plus vos pensées indésirables vous empêchent de savoir ce qui vous passionne.

LE PLAISIR VOUS MAINTIENT SUR LA BONNE VOIE

Soyez attentif au ton de voix des autres. Il est facile d'entendre qui déborde de passion et qui l'a perdue. Ne devenez pas un zombie. Si vous faites constamment ce que vous devez faire, et non pas ce qui vous plaît, vous perdrez aussi votre fougue.

Maintenez vos passions sur la bonne voie en vous amusant chaque jour. Gardez-vous des moments de quiétude pour ressentir votre essence ; ce n'est que pendant ces moments que vous saurez réellement comment vous vous sentez. Vous constaterez ce qui vous passionne et vous serez capable d'éliminer vos pensées négatives. Dites « oui », pas « non » à l'aventure d'être en vie.

JOUEZ

« Déplanifiez » votre journée de congé. Dans l'exemple qui suit, votre jour de congé est un samedi. Commençons donc par la veille.

Vendredi soir, après 21 h, débarrassez-vous de vos pensées concernant le travail et cessez de regarder la télévision ou de lire quoi que ce soit de sérieux. Coupez la sonnerie du téléphone et fermez votre réveil. Avant d'aller vous coucher, laissez votre esprit vagabonder.

Samedi, au réveil, dites-vous : « Qu'est-ce que je veux faire aujourd'hui ? » Ne vous précipitez pas. Prenez du temps pour *vous*. Prenez un bain, une douche ou allez vous promener. Faites quelque chose de calme. Évitez d'écouter de la musique ou la radio.

Vous commencerez à expérimenter une conscience plus profonde de vos désirs. Respectez ces sentiments comme la source de toute votre passion.

Le pouvoir du jaune : sachez-le

Le jaune vous donne la sagesse de savoir ce dont vous avez besoin. Analysez la conversation continuelle que vous avez avec vous-même en réévaluant ce que vous obtenez des gens et des situations. Vous aurez le pouvoir de savoir ce qui vous motive et de constater la réalité des autres.

Cherchez la réalité de chaque situation ou ce que chaque personne cherche à accomplir. Ne perdez pas de temps avec des choses que vous ne pouvez pas changer ou avec quelqu'un qui ne sait pas ce qu'il veut. Chaque personne ou situation se trouve dans un état particulier pour une raison précise. Acceptez cela, et passez à ce qui correspond à votre sensibilité ou aux personnes qui vous soutiendront le plus.

LE JAUNE ET VOUS

Plus vous aimez le jaune, plus vous êtes disposé à rassembler des informations avant de tirer des conclusions.

Moins vous aimez le jaune, plus vous sautez rapidement aux conclusions, même si vous n'avez pas entendu tous les faits.

CHACUN FAIT CE QU'IL VEUT

Acceptez le fait que vos pensées ne concernent que vous. Même quand vous aidez quelqu'un, vous faites ce que vous voulez. Votre contribution est gratifiante pour vous. Que retirez-vous de ce que vous faites? Déterminez aussi ce que les autres en retirent.

Analysez vos propres motivations. Si à un moment vous n'êtes absorbé que par vous-même, et qu'au moment suivant, vous vous sentez exagérément impliqué par les autres et leurs histoires, faites attention. Avouez la raison pour laquelle vous faites ce que vous faites. Vous connaîtrez la paix intérieure qui vous permettra de comprendre le pouvoir et les limites de chaque relation ou circonstance.

LAISSEZ LE SOLEIL BRILLER

Votre esprit ne connaît que le moment présent. C'est pourquoi une période morose peut sembler durer une éternité. Acceptez que cette morosité est un état d'esprit dans lequel vous essayez de vous comprendre, tandis qu'une humeur ensoleillée vous aide à vous exprimer. L'être humain a besoin des deux.

Pour vous amuser un jour de pluie, comportez-vous comme s'il s'agissait d'une belle journée ensoleillée. Vous serez un véritable aimant. Votre haut niveau d'énergie suscitera chez les autres l'envie de voir au-delà de la morosité de la journée. Après tout, une pensée positive représente le début d'un nouveau lendemain.

Le pouvoir du noir : sentez-le

Le noir vous donne le courage de connaître vos émotions. Jetez-vous à l'eau. Laissez-vous aller à ressentir vos expériences, agréables et douloureuses, sans pour autant en faire une obsession. Vous aurez une meilleure appréciation de vous-même et des autres.

En refusant d'admettre ce que vous ressentez, vous contrôlez vos émotions et, en fin de compte, vos actions. Des pensées comme : « Cette personne [ou situation] est absolument parfaite » ou « La vie vaut-elle la peine d'être vécue ? » sont des signaux d'alarme qui signifient que vous évitez une vérité personnelle. Demandez leur opinion à vos amis. Prenez des notes et réfléchissez sérieusement à leurs commentaires chaque matin au réveil. Cette pratique vous aidera à accorder davantage de valeur à votre vie.

LE NOIR ET VOUS

Plus vous aimez le noir, plus vous êtes gouverné par vos émotions.

Moins vous aimez le noir, plus vous évitez vos émotions.

AYEZ DE LA CLASSE

Donnez un peu de vous à tous les gens que vous rencontrez. Pour la plupart, ils deviendront davantage en accord avec leur humanité. Si vous cachez votre cœur et que vous n'entretenez pas des rapports personnels avec les autres, vous serez oublié dès que vous sortirez de la pièce. Regardez les gens dans les yeux. Dites bonjour avec votre cœur, et au revoir en utilisant le nom de la personne. Ayez de la classe, montrez au monde que vous avez du style.

Chérissez ceux qui vous entourent, et ils vous respecteront. Appréciez toujours leurs contributions. Soyez sincère. Faites attention aux pronoms. « Nous » crée une union, tandis que « je » ne se réfère qu'à vous. Avoir de la classe, n'est-ce pas simplement à honorer l'humanité de chaque personne ?

VOS HAUTS ET VOS BAS

Vous et tous les autres existez dans un flux constant de changements d'humeur. Votre côté sombre (vos émotions) vous permet de sentir ce dont vous avez besoin. Votre côté plus léger (vos pensées) vous donne la capacité de distinguer ce que vous voulez ou qui vous désirez fréquenter.

C'est votre vie qu'il faut prendre au sérieux, pas vous. Ayez confiance en vos émotions et renoncez à votre ego, sans quoi vos émotions ou frustrations s'accumuleront. Vous devrez inévitablement réagir, et plus vous attendrez, plus votre réaction sera vive. Accordez le même respect à vos deux côtés, le sombre et le léger.

L'obscurité est aussi importante que la lumière.

CHARLOTTE BRONTË

Le pouvoir du marron : prenez-en conscience

Le marron vous stabilise. Plongez-vous dans la compréhension du processus naturel de la vie. Apprenez à réellement connaître une personne ou une situation avant de la juger. Vous aurez le pouvoir de la conscience, devenant ainsi capable d'embrasser la vie, les gens et les choses telles qu'ils sont.

Soyez vous-même. Ne vous laissez pas entraîner dans une compétition acharnée et n'essayez pas d'obtenir l'approbation de tous. Oubliez le pouvoir et le statut. Plus vous vous donnerez des airs pour essayer de cacher vos défauts, plus ils seront visibles. Vous établirez des rapports plus solides avec les autres en vous acceptant tel que vous êtes.

LE MARRON ET VOUS

Plus vous aimez le marron, plus vous avez conscience de votre environnement et de la nature temporaire de la vie.

Moins vous aimez le marron, plus vous mettez de temps à reconnaître les réalités de votre environnement et de la vie elle-même.

LA PLUS GRANDE LEÇON DE LA VIE

Les agriculteurs qui ne possèdent pas d'équipement ou de système d'irrigation sophistiqués sont très terre à terre. Ils vivent une vie dans laquelle une récolte peut être gâchée par le manque de pluie. Imaginez ce que c'est de travailler très dur pendant des mois, en faisant tout le nécessaire, et de ne rien récolter.

Accepter l'échec sans le prendre pour soi est la plus grande leçon de la vie. Les gens et les choses sont ce qu'ils sont. Êtes-vous ancré dans la réalité ? Examinez vos pensées. Acceptez les avantages de vos échecs. Vous pouvez tirer de grandes leçons des situations ou des relations difficiles.

L'UNIVERS VOUS PARLE

Chaque fois que vous commencez un projet sans évaluer honnêtement la situation ou vous-même, vous risquez d'échouer. Voici quelques comportements arrogants qui reviendront vous hanter.

Arrogance 1

« Je suis vraiment séduisant. »
Votre besoin de prouver quelque chose vous rend artificiel et peu attirant.

Arrogance 2

« Je suis meilleur que les autres. »
Les autres vous voient comme un être suffisant qui ne compte pas à leurs yeux.

Arrogance 3

« Je sais tout. »
Vous n'écoutez pas et vous savez bien peu de choses.

L'orgueil conduit à la faillite et l'arrogance à la ruine.

PROVERBES 16,18

Le pouvoir du blanc : voyez-le

Le blanc vous permet de voir objectivement toutes les options disponibles. Prenez du recul et regardez votre monde comme si vous n'en faisiez pas partie. Laissez votre regard perçant errer sur toutes les facettes de votre vie. En gardant vos distances, vous aurez le pouvoir de déchiffrer de nouvelles possibilités pour vous-même et pour ceux que vous aimez.

En étant objectif, vous pouvez déterminer les éventuelles ressources disponibles. Réfléchissez à cette question : Dans le monde entier, si vous pouviez avoir n'importe quoi, que ou qui voudriez-vous ? Maintenant, regardez vos relations et circonstances actuelles et évaluez ce que vous devez changer, demander, garder ou laisser.

LE BLANC ET VOUS

Plus vous aimez le blanc, plus vite vous êtes capable de changer de vitesse et d'explorer de nouvelles options.

Moins vous aimez le blanc, plus vous mettez de temps à vous sortir de situations problématiques.

LA DISTANCE EST SOURCE D'OBJECTIVITÉ

Lorsque vous êtes bouleversé ou que vous vous sentez mal à l'aise, pensez au prix que vous payez pour obtenir ce que vous voulez. Prenez du recul. Soyez objectif. Les complications de la vie relèvent davantage de la façon de voir les choses que de l'environnement. La distance procure de la clarté ; elle vous donne l'occasion de vous ressaisir.

VOS VICES ET VOS VERTUS

Vos plus grandes forces sont aussi vos plus grandes faiblesses. En vous attaquant à vos faiblesses, vos risquez de perdre votre grandeur.

> *Tout vice n'est que l'exagération*
> *d'une fonction vertueuse et nécessaire.*
> RALPH WALDO EMERSON

Avec le temps et un esprit curieux, toutefois, vous pouvez déterminer là où se terminent vos vertus et là où commencent vos vices. En étant complètement objectif avec vous-même, vous pourrez élaguer vos défauts sans sacrifier vos qualités.

Vice/Vertu 1	**Vice/Vertu 2**	**Vice/Vertu 3**
Vous pouvez manquer d'ouverture sur l'opinion d'autrui ; mais vous êtes persévérant.	Vous finissez une tâche sans connaître tous les faits ; vous prenez donc les décisions à temps.	Vous déployez beaucoup d'énergie sur des futilités ; vous éliminez donc l'échec avant qu'il ne se produise.

SOYEZ FIDÈLE À VOUS-MÊME

Maintenez la force qui est en vous en gardant à l'esprit les choses à ne pas faire. Ne laissez pas les obstacles mentionnés ci-dessous vous empêcher de vous accomplir ou de prendre votre place dans le monde. Soyez fidèle à vous-même et respectez les autres en reconnaissant leur droit à réclamer leur propre authenticité.

Ne forcez pas le changement

Si vous vous sentez pressé de changer, c'est que vous ne vous acceptez pas tel que vous êtes ou que vous n'acceptez pas quelqu'un d'autre ou une situation tels quels. Le changement commence par la conscience. Cela vous donne le pouvoir de mieux cibler et gérer vos actions.

Ne généralisez pas

Les généralisations sont souvent inexactes. Lorsque vous utilisez des mots comme « toujours » ou « jamais », méfiez-vous. Vous perdrez la capacité de voir les faits. Ouvrez-vous au monde qui vous entoure. Les possibilités n'existent que si vous le leur permettez.

Ne soyez pas en désaccord dès le départ

Lorsque quelqu'un n'est pas d'accord avec vous, faites un effort pour comprendre son point de vue. Souvent, vous avez tous les deux raison. Utilisez davantage le mot « et ». Par exemple, considérez que vous pourriez faire ceci et qu'il pourrait faire cela, ou que vous pourriez être comme ceci et qu'il pourrait être comme cela. Partez du principe que ce que dit une autre personne est acceptable, quoi qu'elle dise. Puis repensez-y. C'est une bonne façon de voir si votre désaccord est suffisamment important pour en discuter.

Lorsque vous êtes sur la défensive, ne le prenez pas à légère

Lorsque vous dites : « Je n'ai pas mérité ça » ou « Je n'ai pas fait ça », c'est que vous êtes sur la défensive. N'y a-t-il pas simplement quelque chose en vous qui vous dérange ? Cessez de vous forcer, et les faits remonteront à la surface. Vous serez capable de vous concentrer sur ce que vous voulez. Dites alors aux autres ce qu'ils peuvent attendre de vous.

Ne faites pas de suppositions

Les sentiments des autres ne se rapportent pas toujours à vous. Sont-ils tristes, nerveux, confiants? Demandez, ne supposez pas. Essayez d'obtenir plus d'informations. Si vous croyez savoir ce que les autres vont dire ou connaissez la façon exacte dont une situation va évoluer, c'est que vous ne gardez pas l'esprit ouvert.

Ne vous entourez pas de gens qui ne croient pas en vous ou qui ne vous respectent pas

Les amis véritables sont à l'écoute de ce que vous ressentez et remettent même en question ce que vous faites. Lorsque vos amis omettent de vous faire remarquer que vous avez dépassé les bornes, ils ne vous rendent pas service. Un ami véritable vous ancre dans la réalité.

Ne vous dénigrez pas

En vous dénigrant, vous détruisez peu à peu votre passion. Les émotions devraient être nourries, pas anéanties. Il peut être dévastateur de dire: «Je suis... [gros, vieux, moche, bête, écervelé, fou, etc.].» N'ayez pas d'attentes irréalistes, mais donnez-vous la chance d'accomplir ce dont vous êtes capable. Vous deviendrez un gagnant.

N'essayez pas de rendre vos émotions plus logiques

Vos sentiments sont distincts de vos mécanismes de pensée. Respectez vos émotions en ne les remettant jamais en question.

En séparant votre cœur de votre esprit, vous donnez aux deux la liberté de respirer. En fin de compte, vous aurez davantage de contrôle. Acceptez vos émotions ou vous vous perdrez.

Ne jamais dire « jamais »

Quand vous dites : « Je n'aimerai jamais », « Je n'aurai jamais mal » ou « Je ne dirai plus jamais ça », vous détruisez une partie de vous. Vous perdez une perspective dont vous avez besoin et vous minez des possibilités pour votre avenir. Quand vous vous sentez vide ou que êtes mal à l'aise, soyez prudent. Apprenez à pardonner et à oublier.

SOYEZ VOUS-MÊME

> *Renoncer à son individualité, c'est s'annihiler.*
>
> ROBERT INGERSOLL

Vous êtes né innocent. Cette qualité enfantine en vous, *c'est* vous. Dès que vous dressez des murs, vous perdez votre esprit pur et passionné. Acceptez vos sentiments sur le monde qui vous entoure ou vous perdrez de vue votre moi véritable. Faites de votre vie un voyage passionnant en faisant confiance à votre voix intérieure. Faites le serment du Système de couleurs Dewey :

> J'honorerai ma vérité personnelle en faisant ce que j'aime le plus et je respecterai les autres en acceptant leur droit d'emprunter la voie qu'ils ont choisie.

Vous rappelez-vous quand vous étiez enfant et que vous croyiez que vous pouviez voler ? Vous aviez raison. Faites confiance à votre moi intérieur en étant vous-même. Saluez les autres en respectant leur besoin d'être qui ils sont. La conscience sera votre trophée. Votre esprit s'élèvera.

Ayez confiance en vos intuitions

Comment vous sentez-vous après vous être éloigné d'une personne ou d'une situation ? Prenez le temps vous écouter. Êtes-vous satisfait, euphorique, en colère ou même déprimé ? Écoutez votre voix intérieure. Elle vous avise constamment de ce qui est de bon augure pour votre avenir.

Entourez-vous de personnes et de situations stimulantes. Leur énergie positive vous donnera la force de prendre du recul et de rejeter ce qui ne fonctionne pas. L'admiration est énergisante, et le dégoût est débilitant.

Assurez-vous de respecter les personnes et les situations positives dans votre vie. Au bout d'un moment, vous vous débarrasserez tout simplement du négatif. Optez pour le bon côté des choses et vos passions s'épanouiront. Vous serez capable d'accomplir tout ce que vous désirez.

En conclusion

La vie, c'est comme les montagnes russes. Appréciez vos tunnels sombres et sinueux – vos émotions. Vous comprendrez pourquoi vous vous sentez ainsi, pourquoi vous agissez ainsi, et votre nouveau moi aura le pouvoir « d'allumer la lumière » et de profiter pleinement de l'expérience joyeuse et palpitante qu'est la vie.

J'espère qu'en lisant *Le Système de couleurs Dewey*, vous avez illuminé la passion et le pouvoir qui est en vous et que vous savez maintenant comment apporter davantage de soutien à ceux que vous aimez.

Votre vie est précieuse. Honorez votre passion intérieure et votre esprit en vous créant une vie dans laquelle vous pouvez être totalement vous-même chez vous, au travail et où que vous alliez !

MA PAGE DE CATÉGORIES DE COULEURS

Nom : ___________________________________

Vos choix dans les catégories de couleurs :

CATÉGORIE	COULEUR PRÉFÉRÉE	COULEUR QUE J'AIME LE MOINS
Primaire		
Secondaire		
Achromatique		
Intermédiaire		

MA PAGE DE CATÉGORIES DE COULEURS

Nom : ______________________________

Vos choix dans les catégories de couleurs :

CATÉGORIE	COULEUR PRÉFÉRÉE	COULEUR QUE J'AIME LE MOINS
Primaire		
Secondaire		
Achromatique		
Intermédiaire		

MA PAGE DE CATÉGORIES DE COULEURS

Nom:___________________________________

Vos choix dans les catégories de couleurs:

CATÉGORIE	COULEUR PRÉFÉRÉE	COULEUR QUE J'AIME LE MOINS
Primaire		
Secondaire		
Achromatique		
Intermédiaire		

MA PAGE DE CATÉGORIES DE COULEURS

Nom : ______________________________

Vos choix dans les catégories de couleurs :

CATÉGORIE	COULEUR PRÉFÉRÉE	COULEUR QUE J'AIME LE MOINS
Primaire		
Secondaire		
Achromatique		
Intermédiaire		

MA PAGE DE CATÉGORIES DE COULEURS

Nom : ________________________________

Vos choix dans les catégories de couleurs :

CATÉGORIE	COULEUR PRÉFÉRÉE	COULEUR QUE J'AIME LE MOINS
Primaire		
Secondaire		
Achromatique		
Intermédiaire		

REMERCIEMENTS

Louise Moses Sadka, ma mère, qui m'a appris à réfléchir.

Dewey Sadka Sr., mon père, pour sa foi indéfectible en moi.

Jennifer Burris, mon élève et vice-présidente du développement de produit, pour avoir passé dix ans à faire de ma théorie des couleurs une réalité.

Roberto Athayde, pour m'avoir mis en contact avec un monde qui a inspiré ma création.

Mary Ann Petro, pour ses connaissances expertes de la couleur et du design.

Queenie Sadka Nassour, pour m'avoir montré le pouvoir de l'amour passionné.

Lillie Mae Sams, pour vingt-cinq années d'amour et de sollicitude.

Ellis Nassour, pour ses conseils rédactionnels et pour avoir maintenu ce projet sur la bonne voie.

TABLE DES MATIÈRES